L'EMPOISONNEMENT

Titre original :
Die beiden Freundinnen und ihr Giftmord
Editeur original :
Die Schmiede, Berlin, 1924
© Patmos Verlag GmbH & Co. KG, Walter Verlag,
Düsseldorf et Zürich, 1992

Illustration de couverture :
Charles Selliers,
Deux anges, vers 1865-1870 (détail)

ALFRED DÖBLIN

L'EMPOISONNEMENT

traduit de l'allemand par
Yasmin Hoffmann et Maryvonne Litaize

Elli Link, une jolie blonde, arriva à Berlin en 1918. Elle avait dix-neuf ans. Auparavant elle avait été apprentie coiffeuse à Brunswick où ses parents avaient une menuiserie. Mais un jour elle s'était mise à chaparder, elle avait pris cinq marks dans le porte-monnaie d'une cliente. Là-dessus elle avait passé quelques semaines dans une usine de munitions, puis terminé son apprentissage à Wriezen. Elle était insouciante, heureuse de vivre ; on dit qu'à Wriezen elle ne vivait pas en ascète et avait du goût pour la bamboche.

Elle vint à Berlin-Friedrichsfelde. Le coiffeur qui l'employa la trouva appliquée, honnête et dotée d'un excellent caractère. Il la garda quinze mois, jusqu'à son mariage. Sa joie de vivre aussi il la constata. En novembre 1919, au cours de sorties avec une de ses clientes, elle rencontra le jeune menuisier Link.

Elli avait un genre particulier quoique assez répandu. Elle était d'une fraîcheur désarmante, gaie comme un pinson, enjouée comme un enfant.

Aguicher les hommes la divertissait. Peut-être se donna-t-elle à l'un ou à l'autre : par curiosité, par plaisir à observer l'autre, le mâle, et à chahuter entre copains. Elle s'étonnait et trouvait drôle mais bizarre de voir les hommes prendre ces choses tellement à cœur, s'exciter de la sorte. Ils accouraient, on les faisait tourner en bourrique, et puis on les chassait. Survint alors le jeune menuisier Link.

Il était sérieux, persévérant. Il parlait de choses politiques qu'elle ne comprenait pas, était communiste, passionnément. Il s'accrocha à elle. A cette jolie petite tête, toute bouclée, toute blonde, aux joues si fraîches. A elle qui portait sur le monde un regard si joyeux et se montrait parfois si exubérante que son cœur fondait. Il la voulait pour femme. Il la voulait, elle, à ses côtés.

Ce qui ne lui parut pas du tout bizarre. Link sortait du cadre des hommes qu'elle connaissait. Il avait le même métier que son père, elle connaissait les choses du travail dont il parlait. Ça la bridait un peu. Elle ne pouvait pas le faire marcher comme les autres. Que cet homme soit son prétendant l'honorait, la ravissait ; elle était dans son élément familial. Mais il fallait aussi qu'elle change ; il mettait la main sur elle.

A la maison elle tâta le terrain, fit savoir qu'elle avait une bonne place fixe et que le menuisier Link, un ouvrier sérieux qui gagnait bien, briguait sa main. On l'en félicita. Père et mère se réjouissaient. Et Elli, à y réfléchir, remarquait aussi en elle quelque chose d'agréable. Au fond elle l'aimait bien. Il avait l'intention de prendre soin d'elle ; elle aurait son propre ménage à tenir. Le mariage, c'était quelque chose de terriblement drôle, mais d'agréable, lui semblait-il : Il prendra soin de moi et il s'en réjouit. Au fond elle l'aimait beaucoup. Mais même là elle ne renonça pas à quelques escapades occasionnelles.

Link, lui, était totalement assujetti. Plus ils étaient ensemble, plus elle le remarquait. Au début elle n'y prit pas garde. Les hommes étaient toujours ainsi. Puis elle en fut incommodée. Chez lui c'était si fort, et toujours si régulier. Peu à peu quelque chose monta en elle : petit à petit elle se mit à lui en vouloir d'être ainsi. Link l'empêchait de continuer à broder sur le thème qu'il était un homme sérieux, de la trempe de son père, qu'ils allaient fonder une famille. Du coup il tomba au niveau de ses amants précédents. Non, plus bas même, parce qu'il tenait tant à elle, s'accrochait et s'imposait si violemment. Avec colère, avec douleur elle se rendit compte qu'on pouvait le faire marcher lui aussi. Et que même il l'y poussait.

Elle resta avec lui. Les choses étaient lancées. Mais plus le temps passait, plus cela l'affectait. La rongeait. Ce Link lui avait fait miroiter quelque chose, elle y avait vu une promotion. A présent elle avait honte, même à ses propres yeux. C'était une désillusion souterraine.

Qui remontait parfois à la surface dans des accès de colère. Souvent elle était méchante avec lui. Le rudoyait sur un ton épouvantable, l'engueulait comme un chien. Lui pensait alors, consterné : Elle veut se débarrasser de moi.

Puis elle passait l'éponge. Il veut m'épouser ; pourquoi pas ? Avoir son propre ménage n'était pas négligeable. Et puis il était si misérable ; il lui faisait peine. Elle en viendrait bien à bout. Des heures entières elle s'abandonnait avec ravissement à son imagination, elle serait une épouse, aurait une famille comme celle de Brunswick, son mari avait une bonne situation, il l'aimait, c'était un homme sérieux. En novembre 1920 – elle avait vingt et un ans et lui vingt-huit – ils se marièrent.

Ils emménagèrent chez la mère de Link. Plus question d'avoir un vrai chez-soi. La mère de Link avait voulu déménager, mais elle était restée. Cette femme était assez désagréable avec son fils qui, de son côté, ne lui était guère attaché. Cette femme ne voulait pas se faire supplanter par sa jeune bru. Dans leurs différends, Link prenait le parti de sa femme, lui faisait sa place. Injuriait grossièrement sa mère. La jeune Elli écoutait. Avec la peur qu'un jour il en use de la sorte avec elle. Lorsqu'elle le lui dit, il grommela : "Qu'est-ce que tu racontes ?" Bientôt elle put s'affirmer plus nettement contre sa belle-mère, lorsque, les revenus de son mari ayant diminué, il lui permit de reprendre son métier. Dans la semaine elle tenait son ménage, avait les affaires en main ; le samedi et le dimanche, elle aidait au magasin et la vieille femme la remplaçait avec sa bénédiction.

Vint une période où Link se mit à sortir souvent le soir, à sortir seul, soir après soir, laissant à la maison la jeune femme qui se plaignait qu'il ne s'occupe pas assez d'elle ; rien de ce qu'elle faisait n'était à son goût. C'est pourtant lui qui l'avait poussée au mariage. Que s'était-il passé ?

Link avait grandi avec sa mère, dans le travail et la mauvaise humeur. Il voulait faire son chemin. Or, sa femme, cette petite tête de linotte toute bouclée, ne s'intéressait pas à lui ; inchangée, elle se laissait aller à ses caprices, était tantôt comme ci, tantôt comme ça. Un jour elle s'accrochait à lui, le lendemain le traitait par le mépris, se disant : Mais pour qui se prend-il ? C'était un homme rude qui aimait à se dire un forçat du travail. A présent, pour l'avoir entièrement, il s'approchait d'elle – physiquement.

Autrefois elle avait fréquenté beaucoup d'hommes. Aujourd'hui l'un d'eux la pressait dont – amusée ou fâchée – elle ne pouvait se débarrasser lorsqu'elle en avait assez. Celui-ci avait ses exigences. Et pour lui le droit du mari. Or, le contact physique déplaisait à Elli qui le supportait en silence. En était excitée d'une manière fort peu agréable. Elle se forçait à supporter l'homme, sachant qu'il en allait ainsi dans le mariage, mais aurait préféré que cela n'existât pas. Elle était contente de se retrouver seule dans son lit.

Link avait épousé une jeune femme mignonne. Tout heureux qu'elle lui échoie. A présent il pestait par-devers lui. Qu'est-ce que ça signifiait ?

Elle allait trop loin avec ses enfantillages, elle n'était pas affectueuse avec lui. On avait beau être gentil avec elle dans la journée – où déjà bien souvent elle se montrait pénible –, la nuit dans ses bras elle restait inerte. Il lui en voulut. Elle ne changea pas : il n'avait plus de foyer. Il avait beau la traiter avec tendresse comme une poupée, lorsqu'il voulait s'unir à elle pour la gagner toute à lui, elle restait étrangère et ne l'acceptait pas.

Elle sentait son malaise. Dont elle tirait une joie. Une joie maligne. Il n'avait qu'à la laisser tranquille. Et puis elle redevenait une épouse, s'efforçait de changer ses sentiments sans y parvenir. Elle sentait obscurément et non sans angoisse qu'elle ne s'en sortait pas. Cette idée la traversait furtivement, la poussait souvent à lui céder. Mais avec ce sentiment de plus en plus fort : Je n'ai pas envie. Et puis une sensation massive de dégoût.

Le soir il se réfugiait dans ses réunions qu'il voulait le plus mouvementées, le plus radicales possible. Un vieux, un terrible sentiment d'indignité resurgissait, une idée le rongeait : Je ne suis pas assez bon pour elle, elle fait l'importante. Puis il tremblait : Je la materai. Ce qui le bouleversait le plus, c'était sa répugnance sexuelle.

Tels qu'ils s'affrontaient à présent, leurs positions étaient très modifiées. Il était déçu, frustré de ce qu'il cherchait dans le mariage : Elli ne donnait à cet homme emporté, divisé, ni joie ni nouvelle impulsion. Elle ne lui laissait aucune possibilité d'accéder à l'amour chaleureux, caressant, qu'il avait éprouvé auprès d'elle dans les premiers temps et qui l'avait poussé à demander sa main. C'était une désillusion semblable à la sienne lorsqu'elle sentait : Ce n'est pas là l'homme sérieux que j'aimerais suivre. Par des insultes, des scènes exaspérées, il chercha à tout repousser loin de lui.

Puis il entreprit de se battre. L'affaire était vitale. Il ne renonçait pas à Elli. D'abord il exploita la situation afin de se venger de certaines choses passées : se laissa aller, tempêtant pour des riens. Le sentiment de vengeance avait du bon, le réconciliait presque avec lui-même. C'était dans la première partie de l'année 1921. Ils n'étaient mariés que depuis quelques mois. Il voulait la garder, elle si gentille, si joyeuse ; elle avait encore ce genre qui lui plaisait et qui lui rappelait le bon temps. Il voulait retenir cela. Il voulait se retenir à elle. Il voulait l'aimer. Il prit un chemin dangereux.

Sans savoir ni pourquoi ni comment et malgré une nette répugnance intime, il s'avisa de se déchaîner avec elle sexuellement. D'exiger d'elle violences, sauvageries et extravagances. En eux se fit un véritable déclic. Un changement s'opéra en lui. Il ne pouvait résister à ses impulsions dépravées. Et s'aperçut seulement plus tard que c'était, en plus brûlant, plus passionné, la façon dont il en usait avec des filles de rencontre. Par ce déchaînement et cette brutalité il voulait oublier son infortune. Punir Elli, la dégrader justement par là où elle lui échappait. Elle n'aimait pas ça ; tant mieux ;

son aversion même l'excitait, augmentait l'attrait. Il voulait la fureur. Un autre sentiment l'habitait très souterrainement : lui découvrir ainsi des goûts anciens et réprouvés, c'était une fois encore se soumettre. Il se mettait à nu. Il fallait qu'elle approuve. Qu'elle l'approuve lui. Il fallait qu'elle l'amende. D'une manière ou d'une autre.

Elle comprit. Saisit le geste comme il fallait. Elle avait déjà tendance à supporter certaines choses pour se punir de ses défaillances sexuelles. Le dégoût qui la prenait tout entière, qui éclaboussait l'homme dans son ensemble et lui donnait une odeur de soufre, ne parvenait pas toujours à l'apaiser. A présent, malgré son aversion, voire son effroi, elle flairait qu'il changeait, mais que, malgré tout, il ne la lâchait pas. Mieux, qu'il était à nouveau l'amoureux d'autrefois qui la suppliait, et qu'il se soumettait à elle d'une autre manière. Elle flairait que colère, insultes, coups n'étaient qu'une autre forme de soumission. Et dans la mesure même où elle ne pouvait s'abandonner corps et âme à la tendresse, à la passion, cela lui convenait mieux. Elle ressentait une excitation apeurée mais non dénuée de plaisir à le voir ainsi s'approcher. Elle se réjouissait de son approche, de sa souffrance de ne pouvoir se passer d'elle. C'était en fait une prolongation de leurs disputes, une façon d'aller au bout de leur lutte, par de curieux moyens. Cela tenait davantage de la bagarre que de l'étreinte. Ce n'étaient plus les manières d'autrefois, douces, pitoyables et un peu niaises, ces cajoleries, ces chuchotements amoureux peu virils. Il avait ouvert en son âme un territoire inconnu.

Effectivement une paix tremblante s'établit entre eux sur cette base. De nouvelles raisons lui firent reprendre le chemin du foyer, et il retomba dans ses chaînes comme il le souhaitait. Il ne pouvait se passer d'elle. Et l'entraînait avec lui... Force était de constater qu'elle s'était rapprochée de lui. Mais quelle voie périlleuse !

Ils n'en restèrent pas à ces étreintes emportées. Le changement se poursuivit chez lui comme chez elle. La violence flamboyait jusqu'au cœur du jour. Tous deux étaient de plus en plus instables et avaient besoin de compensations. Ils devinrent de plus en plus hargneux, irritables, tendus. Elle l'avait à l'œil, guettant son évolution.

En lui, le désir haletant, fébrile, de se laisser aller. Il se déchaînait en sa présence, déchirait des vêtements, renversait des corbeilles de linge. Et remarquait lui-même qu'il y prenait plaisir. Qu'elle le voie chaque jour un peu mieux tel qu'il était ! Il se découvrait toujours plus, et aux reproches qu'il s'adressait lui-même, se répondait à lui-même qu'il fallait bien qu'elle soit punie et qu'il était maître chez lui. Et dans l'intervalle, l'homme déçu qui avait voulu commencer une nouvelle vie avec Elli constatait sa rechute, sans savoir comment l'éviter. Parfois un effroi le saisissait, une pitié le prenait, pour lui-même, pour Elli, pour son mariage. Le chagrin de voir comment les choses avaient tourné. Tout allait bien quand il n'était pas à la maison. Au cours de ces mois, vers le milieu de la première année de mariage, soir après soir, il traîna dans des bistrots, se jeta tête baissée dans le radicalisme révolutionnaire. Et il se mit à boire. Retrouva dans l'ivresse sa liberté et son calme d'autrefois. Sans aucune nostalgie. Rentrait-il ivre, sa femme était là. Devait faire ses quatre volontés. Avec ou sans coups. Et tout était bien.

Tandis qu'il évoluait ainsi, Elli se faisait plus silencieuse. Sa situation empirait. N'avait-elle pas déjà le dessous ? Une haine se levait en elle. Il la frappait souvent. Parfois ils se disputaient jusqu'à trois heures du matin. Disputes qui n'avaient plus rien des étreintes invisibles. Les violences avaient perdu presque tout leur attrait. Elles étaient brutalité pure. Et lorsqu'il la prenait, de l'acte sexuel aussi tout sentiment était exclu ; en elle, rien qu'un terrible dégoût, une révolte accrue et de la haine. Elli, qui était entrée en ménage un sourire narquois aux lèvres, se retrouvait avec un maître brutal au-dessus d'elle.

Attentive et avec un plaisir certain, la mère de Link, dont ils occupaient encore l'appartement, suivait l'évolution. Déjà son fils ne prenait plus le parti d'Elli ; la mère le montait contre elle.

Elli n'était plus que colère dévorante. Elle voulut quitter Link. Lorsqu'elle en parla au cours d'un de leurs démêlés quotidiens, il lui flanqua, sarcastique, la malle en osier devant les pieds. La mère, avec son acharnement, lui inspirait encore plus de colère que Link. Elli menaça : "Si les choses ne changent pas bientôt, il y aura un malheur." La mère – qui avait mauvaise conscience – craignait sa bru. Un jour qu'elle allait boire une tasse de café offerte par Elli, l'odeur lui en parut âcre et piquante. Et lorsqu'elle goûta avec précaution du bout de la langue, le café piquait désagréablement. Elle éclata contre sa bru : "Tu veux m'empoisonner !" Elli goûta elle-même le café, haussa les épaules : "Chez moi tu peux devenir centenaire... !" La vieille femme raconta l'affaire dans toute la maison, y compris à son fils dont la mine s'assombrit encore.

Cependant Elli se débattait. Peu après l'incident, en juin 1921, elle quitta la maison et se rendit chez ses parents à Brunswick. Emportant par vengeance tout l'argent dont elle avait pu s'emparer, même celui de la bicyclette que son mari venait de vendre, et les sous du compteur à gaz.

Elle resta quinze jours à Brunswick. Raconta sa situation conjugale, pour autant qu'elle pût en parler. Ses parents, de braves gens, hochèrent la tête. Et évitèrent le sujet. Tenant tout cela pour très exagéré. Elli était une grande enfant, il fallait qu'elle se calme. Elli, pour sa part, cherchait à s'éloigner de ces choses terribles. Cherchait presque de force à retrouver sa place dans son ancien milieu. Ses parents ne lui donnaient pas raison, elle était aussi bien disposée à se ranger à leur opinion modérée, fût-ce en se faisant violence.

L'homme hargneux se retrouvait seul avec sa mère dans son appartement de Friedrichsfelde.

Ecoutait ses injures contre la mauvaise femme qui avait filé, et l'engueulait. Furieux contre sa mère, contre Elli, chagriné par son propre sort. Mais toutes les injures du monde ne changeaient rien à la rudesse du coup ; il était dégrisé. Des lettres de lui arrivèrent à Brunswick. A travers l'une d'elles Elli entendit la voix de sa belle-mère ; cette tasse de café, cause de leur terrible dispute à Berlin, voilà qu'il en reparlait : "Il faut que tu me promettes de ne jamais faire ça à ma mère, et tout changera." Il écrivait sur un ton hésitant, conciliant, sans vouloir l'avouer. Les parents poussaient : "Rentre donc, il t'attend !" Elle se sentait déjà un peu plus dégagée. Son père se réjouit lorsqu'elle partit non sans hésitation ; telle était la volonté de ses parents, et elle s'y pliait. Sa mère ne savait trop que penser de l'indécision, de la tension qui marquait ce visage ordinairement si gai.

A peine se retrouvèrent-ils ensemble à Berlin que l'enfer recommença. Comme s'ils reprenaient une conversation interrompue. A peine se furent-ils vus et reconnus inchangés qu'ils s'embarquèrent, avides, dans cette conversation. S'y ajouta la colère qu'il avait de sa fuite, l'humiliation subie, et la honte d'être allé la rechercher. Cela, il fallait le cacher, le compenser. Elli s'était rendue, mais à présent recommençait à trembler, à souffrir. Ses parents n'avaient pas voulu la garder. Il la battait, il était plus fort qu'elle. Elle ne voulait pas de ce combat, de cette torture sans fin. Elle se sentait devenir étrangère à elle-même. Pensait au temps jadis, à sa vie d'autrefois, à la maison. A ce qu'elle était là-bas, et à Wriezen, et par la suite. Elle ruminait sur son sort, impuissante, dégoûtée d'elle-même, sans ressort, puis soudain à nouveau capable de tout.

Il perçut quelque chose de son hostilité. Eut un sursaut. Fut bouleversé. Se souvint. Pesta. Qu'avait-elle à pleurer ? C'était de sa faute à elle. Dans un mélange de rancune et de mauvaise conscience, et parfois luttant contre sa vieille tendresse, il tournait en rond. Il fallait faire quelque chose. Il fallait que ça change. Exécutant la décision prise en l'absence d'Elli, il pressa le déménagement, la séparation d'avec sa mère. Il se disait : Quitter la mère nous fera du bien.

Ils entrèrent en meublé dans la rue W. chez une certaine Mme E. C'était dans les premiers jours d'août 1921. A cette époque il leur arriva même de sortir ensemble. Le 14 août, Link l'emmena à l'auberge de E., un rendez-vous de chasse où il devait rencontrer un homme dont il venait juste de faire la connaissance. C'était le contrôleur des chemins de fer Bende. Lui aussi avait amené sa femme, Margarete, Gretchen.

Elle avait vingt-cinq ans, trois ans de plus qu'Elli. Des traits accusés, presque sévères, des yeux marron, une grande charpente plutôt osseuse. Elle était assise à côté de son mari, un ancien sous-officier, un homme trapu, massif. Il n'était pas sombre et tiraillé comme Link, il ne courait pas tout le temps derrière sa femme comme lui. Il connaissait aussi d'autres chemins. C'était un habile gaillard qui venait à bout de sa femme et se payait du bon temps. Ils étaient mariés depuis trois ans. La Bende était plus renfermée qu'Elli. N'avait ni légèreté ni joie de vivre. Elle habitait avec sa mère à laquelle elle tenait. Au cours de la guerre elle s'était fiancée à Bende. S'était attachée à lui avec exaltation. En septembre 1917 elle écrivait encore à son cher Willi qui était au front : "Ô heures bénies, ô bonheur infini, quand me reviendras-tu ?", et se nommait sa fidèle Grete. Les noces avaient eu lieu en mai 1918. Depuis, le mariage était branlant. Elle s'affirmait difficilement contre son mari. Sans sa mère, elle eût été complètement écrasée.

A cette époque Elli regardait autour d'elle. Cherchant un appui, quelque part.

Les femmes se plurent. Tandis que les hommes buvaient, plaisantaient grossièrement, elles s'observaient. S'étudiaient du regard. La Bende avait remarqué l'air attristé d'Elli, mais plus encore ses manières infantiles, sa silhouette délicate, ses boucles blondes. Elles allaient bien ensemble. Elles habitaient toutes deux la rue W. et se donnèrent rendez-vous. Chez la Bende, Elli rencontra aussi la mère de Margarete, Mme Schnürer, une femme aimable d'un certain âge, aux yeux bleus. Dans l'appartement on fit plus ample connaissance.

Les deux femmes s'aperçurent qu'Elli aimait à leur rendre de fréquentes visites. Et Elli vit que les deux femmes faisaient front contre le mari. Mme Schnürer était une femme calme, maternelle, et Gretchen se montrait affectueuse, chaleureuse même. Après avoir rapidement sondé et tâté le terrain, les deux parties en vinrent à soulager leur cœur. Elli raconta alors comme elle put, par à-coups, par saccades ; on l'écouta en soupirant. Elli avait obtenu quelque chose : on l'accueillait, la protégeait. Inutile d'aller à Brunswick. C'était un véritable changement, une libération. Le bon côté de son âme avait repris le dessus. Lorsque Link se déchaînait, elle ne restait plus là désemparée ou à crier, avec la conscience de n'être pas de taille. A présent elle voyait les choses : l'homme qui s'était accroché à elle, sous le joug duquel elle s'était affaiblie, voire avilie, était le même dès le début. Et d'écarter les souvenirs pénibles. C'est à l'image de la Bende, à cette image qu'elle se cramponnait, lorsqu'elle regagnait son foyer.

Grete Bende était une étrange créature. Elle se répandait en sentiments violents, confus. Aimait les tournures romantiques, romanesques. Elle n'était guère perspicace, savait par expérience qu'elle agaçait fréquemment ; elle se drapait fièrement dans une grandiloquence verbeuse et obscure. Elle avait grandi auprès de sa mère, n'avait pas encore quitté la maison. En fait, elle habitait toujours chez sa mère. Dans son attachement étroit à celle-ci Grete était restée dépendante, riche de sentiments, mais la mère ainsi qu'elle-même avaient fait s'étioler son besoin d'autonomie. Elle tentait souvent de se libérer, mais rien de bien sérieux, et restait comme elle était, au stade de l'enfance. Une de ces tentatives – qui elle aussi échoua – fut sa liaison avec Bende. Trop faible pour retenir un homme aussi instable ou le gouverner par des moyens bien féminins, elle le déçut, lui qui n'aspirait qu'à être tenu court, dominé, et provoqua sa violence, son despotisme. Désemparée, jalouse au dernier point, Grete trouva à nouveau refuge auprès de sa mère qui l'attendait toujours. Sa tendance à s'indigner, à se plaindre – propre aux mal lotis – s'était considérablement renforcée. La masse de sentiments inassouvis, l'agitation de son âme avaient augmenté. Et voici qu'arrivait Elli, cette petite personne enjouée, avec ses manières amusantes de gamine. Comme jamais encore Grete fut émue, saisie, bouleversée par cet être qui recherchait en fait une aide et un soutien. Personne ne l'avait jamais vraiment courtisée, elle si sévère, si calme, si triste même. Et comme elle hésitait, flattée, attirée, charmée par cet être amusant, opprimé lui aussi, sur la façon de lui témoigner ses sentiments, voici qu'Elli en personne lui indiquait la voie. Ici Grete avait à consoler, conforter, encourager. Cela l'éloignait un peu de sa mère ; mais elle s'en montrait la digne fille dans la mesure même où elle reprenait son rôle. Elle attira Elli. Y trouva une consolation, une compensation pour le mauvais mari qu'elle ne pouvait retenir. Dans son sentiment pour Elli la Bende se cacha, s'enveloppa chaudement, ainsi qu'elle en avait besoin. La Link réclamait protection, avait besoin d'aide. Elle les lui donnerait. La Link était son enfant.

Ainsi s'accordèrent-elles. La Bende déversa sur Elli son trop-plein d'amour. Et Elli, soulagée, séduite par la tendresse, se retrouva, soupirant d'aise, dans son ancien rôle de joyeuse petite coquine, au grand ravissement de la Bende.

La fugue chez les parents avait secoué Link. Il continuait à tempêter, mais le coup avait été rude. Après le déménagement, une incertitude subsista en lui. Il tâtonnait, se sentait à un tournant. Elli s'améliorait. Mais peu et passagèrement, il le voyait bien. Et lui non plus ne voulait pas – ne pouvait pas – se refréner ; déjà certaines choses, certaines invectives coulaient comme d'elles-mêmes. Elle n'allait quand même pas lui en vouloir pour ça, tel était son sentiment. Néanmoins dans la voix d'Elli perçait à présent lorsqu'ils se disputaient – c'était frappant – un ton légèrement provocant, quelque chose de nouveau, d'étranger. Il sentait – et n'en était que plus excité – que d'une certaine façon elle ne jouait pas le jeu. Lorsqu'ils se querellaient, elle alimentait la dispute avec un acharnement incroyable. Et cela l'éperonnait. Il ne voulait pas, se plaignait : ils avaient leur propre logis, il gagnait bien, pourquoi les choses n'allaient-elles pas mieux ?

Le combat que Grete Bende menait contre son mari – avec peu de succès et de nombreux revers –, elle le poursuivait à présent, vaincue, vaincue au-delà de ses propres murs. Elle se battait contre un mauvais mari. Link. Qui ne faisait pour ainsi dire plus qu'un avec Bende. Et elle se battait d'autant plus violemment contre lui qu'il y avait à ce combat un enjeu, un enjeu encore tacite : Elli. Elle pouvait tirer vengeance de son mari et aussi – situation profondément bouleversante – attirer à elle en toute tranquillité un être vivant, pour elle toute seule. Elle pouvait aimer.

Elli apportait à la Bende qui s'en délectait la rage encore toute chaude de leurs disputes. Link luttait, ramait, continuait le combat. Sans s'apercevoir qu'il se battait contre deux adversaires, ou plutôt contre un nouvel adversaire que la passion fortifiait. Elli avait une seconde volonté, la Bende. Et cette volonté était dure, car sans contact direct avec lui ; elle s'en prenait à lui d'une manière abstraite, comme surgissant du néant.

Les deux femmes se rapprochèrent encore. La Bende les rapprocha. Cette femme ne pouvait lâcher Elli. Elle désirait mettre sa main sur tout ce qui concernait le ménage. Signe de son manque d'assurance et de son ardeur, elle était totalement incapable de refréner ce qu'elle avait à lui dire. Jalouse, susceptible pour un oui, pour un non, elle ne pouvait s'empêcher de lui donner sans cesse des instructions. La résistance surprenante qu'Elli lui opposait lui parut dans les premiers temps étrangement excitante quoique compréhensible. Elli haïssait son mari, mais moins violemment que la Bende ne le souhaitait. Elli hésitait – comme la

Bende elle-même. Un jour la blonde accourait éner-
vée, gémissait et jetait feu et flamme ; Grete lui
tenait des discours apaisants ; elles restaient assises
côte à côte, affectueusement. Et le lendemain Elli
était bien, mais ne soufflait mot de Link. Et faisait
la sourde oreille aux paroles méprisantes, aux
injures habituelles contre lui. La Bende en était
indiciblement attristée. S'épanchait souvent auprès
de sa mère tout en lui dissimulant ses sentiments.
Il faudrait libérer Elli, cette enfant, du méchant
homme, du misérable qui la battait et ne méritait
pas une telle épouse. Il finissait toujours par l'entor-
tiller. Ainsi discourait-elle, indignée et tremblante.

Elle devint de plus en plus empressée auprès
d'Elli. Une correspondance, une correspondance
étrange, commença entre ces deux femmes qui,
habitant la même rue et se voyant journellement,
ne pouvaient s'empêcher pendant leurs brèves
séparations de poursuivre leur conversation, ma-
nœuvres d'approche ou de défense. C'était la
bien-aimée et l'amant, le chasseur et sa proie qui
s'exprimaient ici. D'abord elles s'écrivirent peu.
Puis à l'écriture découvrirent certains charmes.
Perçurent qu'il y avait un attrait singulier à continuer en l'absence de l'autre un jeu qui se nommait
amitié, poursuite, amour. C'était quelque chose
d'étrangement excitant, une complicité délicieuse ;
et à demi conscientes, à demi inconscientes, toutes
deux continuèrent dans leurs lettres sur la voie où
elles s'étaient déjà engagées : la Bende, à poursuivre,
séduire, retenir, et parallèlement repousser l'homme

– la Link, à donner libre cours à son goût du jeu, se laisser prendre et protester de sa soumission. Les lettres étaient apparemment un moyen de s'entraider, de comploter contre les hommes, mais bientôt elles devinrent aussi et surtout l'instrument d'une auto-exaltation. Les deux femmes s'aiguillonnaient, se calmaient, jouaient au plus fin. Les lettres étaient un grand pas vers d'autres complicités.

La mère de Grete se rangeait de leur côté. Avec Mme Schnürer Elli se montrait chaleureuse, cajoleuse. Et bientôt l'appelait sa seconde mère. Mme Schnürer aussi était rebutée par Bende. Sa fille était tout pour elle, or il la traitait mal. Elle observait d'un œil perçant, avec sympathie, le combat que sa fille menait pour retenir son mari, et fut repoussée lorsqu'il la repoussa. Elle était indignée et, maternelle, la serra plus étroitement contre elle. Ce sentiment n'était pas que négatif ; au fond, elle reprenait sa fille qui était tout pour elle. Le cercle s'élargit, Elli entra, devint l'amie de Grete. Elle connaissait un sort semblable au sien. Face aux hommes, les trois femmes s'isolèrent et se lièrent par une chaude amitié. Elles formaient une petite communauté malgré la diversité de leurs attentes, se complaisaient dans ce sentiment et manifestaient trois fois plus d'assurance dans leur rejet de la rudesse masculine. Grete Bende écrivit un jour à Elli : "Comme j'étais encore à t'attendre, hier soir après huit heures, à la fenêtre de devant, maman m'a dit : Regarde donc ces trois tulipes, comme elles sont unies. Comme elles nous resterons unies, Elli, toi et moi, et nous lutterons jusqu'à la victoire."

Telles étaient entre elles les règles du jeu. C'est alors que la Bende fut prise subitement d'une fièvre délicieuse en liaison avec Elli. Peu à peu, très lentement, cette fièvre suscita en Elli une fièvre semblable. Toutes deux furent propulsées dans la voie d'une complicité d'abord exclusivement dirigée contre leurs maris. Elles se cachaient encore, y compris à elles-mêmes, que cette voie avait changé de direction. Entre les brutalités des hommes et leurs propres efforts pour repousser des attaques bestiales, et après : cette tendresse, cette communion de sentiments, à l'écoute l'une de l'autre... Comme une mère qui couve son enfant. Avec la Bende Elli se montrait folâtre, gaie, câline. Mais l'amie passionnée, mue par des sentiments débordants, l'encourageait, lui tenait la main, la serrait contre elle. Jamais encore Elli n'avait rencontré de douceur si séduisante, elle ne pouvait qu'en convenir. De fait, elle était exclusivement axée sur le rôle de chaton caressant et de petite coquine. Or, d'une manière tout à fait indépendante de sa volonté et à sa grande surprise – surprise d'ailleurs peu agréable –, elle se sentait à présent touchée et prise au piège. Pour se justifier à ses propres yeux, Elli se représentait sans arrêt les brutalités de son mari, cause de toute cette amitié. Elle avait terriblement honte – sans trop savoir pourquoi – de ses cachotteries avec la Bende. Sa position face à son mari s'en trouvait affaiblie. Aussi se montrait-elle à l'occasion distante, sans que la Bende en comprît les raisons. Mais il lui arrivait aussi de retourner en irritation et rage contre Link les sentiments de honte et de culpabilité que lui inspirait sa liaison avec la Bende, se cachant par là même sa culpabilité, et en proie tantôt à l'aveuglement, tantôt à ce vague pressentiment : Il y est bien pour quelque chose, sans lui je n'en serais pas là. Et chaque scène à la maison la jetait plus violemment dans les bras de la Bende : c'est auprès d'elle qu'elle voulait rester, elle avait bien raison de rester auprès d'elle. Le sentiment qu'elle éprouvait pour son amie se développait en profondeur et tel un polype en attirait d'autres.

Link travaillait, cherchait à amadouer sa femme, s'emportait à nouveau contre elle, buvait. Un chemin monotone, une escalade inexorable. L'essentiel, c'était d'avoir récupéré sa femme, ses beaux-parents l'épaulaient, avec lui elle finirait par se calmer. Comme auparavant il l'assaillait sexuellement, ce qu'elle endurait avec un profond dégoût, une répugnance non dissimulée et indignation. Elle voulait partir loin de tout cela, loin des abîmes qu'il avait brutalement ouverts en son âme où régnaient la dispute, la sauvagerie, un enchevêtrement de haines.

Au milieu de toutes ces émotions entre l'amie et le mari la tête lui tournait. Elle courait chez Grete chercher un peu de calme. Négligeait son petit ménage. Lorsque Link lui donnait le matin des instructions pour la maison et les courses à faire, dans son trouble intérieur et parce qu'elle voulait surtout éviter de penser, elle les oubliait. Il fallait qu'elle note les moindres instructions. Et lui, qui observait cela, prenait plaisir à en donner, afin de l'obliger à penser à lui dans la journée, afin de l'enchaîner et de la mater. Ainsi le soir en rentrant, pouvait-il lui montrer qu'elle était moins que rien. La peur qu'elle avait lorsqu'il rentrait, éméché la plupart du temps. Et les colères noires qu'il piquait ! Alors elle n'était déjà plus pour lui cette Elli particulière. Il se déchaînait parce qu'il était le maître. C'était le reliquat, les débris de sa passion amoureuse. Il cassait tout ce qui lui tombait sous la main, saisissait la vaisselle, la table, les chaises en rotin, le linge, les vêtements. Elle criait : "Ne sois donc pas si sévère avec moi ! Je fais ce que je peux. Qu'est-ce que tu veux que je fasse ? Arrête de me taper sur la tête ! Tu sais bien que j'ai la tête fragile !" Lui : "Eh bien, casse-toi un peu la nénette !" Elle : "Tu n'arriveras à rien avec ta sévérité. Sois gentil pour une fois ! Tu ne fais que tout aggraver, bientôt je ne répondrai plus de rien. Tu t'acharnes, tu t'acharnes, la coupe va déborder !" "Voyez-vous ça ! Tiens, voilà la matraque. Ça te fera du bien !"

Sa haine contre cet homme. Elle écrivait des lettres exaspérées à ses parents qui l'avaient repoussée. Qu'ils sachent où Link et elle en étaient. Elle lui faisait, disait-elle, un foyer si peu accueillant qu'il ferait mieux de partir. Elle s'occupait uniquement de sa tambouille. Elle le haïssait au point d'avoir envie de lui cracher à la figure quand elle le voyait. Elle n'avait qu'un désir : qu'il soit obligé de travailler pour lui payer une pension alimentaire. Elle allait filer à nouveau, et elle emporterait tout, le lit qu'il avait acheté ainsi que les draps et les taies de sa belle-mère. Entre mari et femme le vol n'existait pas.

La haine la prenait certes, et elle s'y jetait, s'y enfonçait volontairement, mais il y avait plus d'exaspération dans ses propos que dans ses sentiments : elle cherchait à justifier une inclination pour la Bende qu'elle ne voulait pas plus s'avouer à elle-même qu'à autrui. Ainsi parlait-elle de la Bende à mots couverts. Elli se sentait étrangement divisée. Chaque jour cela lui apparaissait clairement dans ses relations avec la Bende et la mettait littéralement sur des charbons ardents. Tous les jours Elli parlait avec Grete de ses histoires avec Link, mais elle était acculée à un rôle, forcée d'exagérer, de défigurer certains faits ; obligée de nier ce qui restait de sa liaison avec Link. Elle menait une sorte de double vie. Ce flottement n'était pas ce qu'elle souhaitait.

Mais soudain les choses se décidèrent, du moins pour le moment. L'amour entre les deux femmes s'embrasa. Les simples protestations d'amitié, les consolations, les baisers, les embrassades et câlins sur les genoux se transformèrent en actes sexuels. Ce fut la Bende qui la première, forte de ses sentiments et de sa passion, s'y laissa, frémissante, entraîner. Au début Elli avait été son enfant qu'elle devait protéger. A présent elle admirait ce petit bout de femme actif et résolu. Elle la poussa totalement dans le rôle d'un homme. D'un homme qui l'aimait, se laissait aimer d'elle ; en tant que femme elle n'était pas très heureuse avec les hommes en général et encore moins avec son propre mari. A présent Elli était son mari. Qui devait constamment l'assurer de son amour. Jamais la Bende n'avait assez de preuves, de manifestations d'amour. Elli, dans ses efforts pour fuir Link, se laissa sciemment entraîner dans cette voie. Son dynamisme, son intrépidité virile s'enracinant dans le terrain de la sexualité s'exaltèrent dangereusement.

Après ces événements grandit en elles le sentiment d'être en sécurité, d'être faites l'une pour l'autre. S'y mêlait un sentiment de honte, de culpabilité, mais qui s'atténuait face aux hommes. Elli repoussait plus violemment son mari. C'était la vérité, ce qu'elle disait et écrivait à la Bende : qu'elle refusait souvent les relations et n'acceptait Link que contrainte et forcée.

A cette époque, vers la fin de 1921, on passa soudain chez les Link des disputes aux voies de fait. Elli n'était que haine contre son mari. L'homme était plus fort ; elle s'en sortit avec des bosses et de légères blessures à la tête. Et fit faire un constat par le Dr L.

Car dans ses conversations avec la Bende, elle avait déjà résolu de se séparer de Link. La Bende et elle – gagnées par une ivresse – avaient souvent débattu d'un plan merveilleux : elles emménageraient à trois, la mère, Elli et Grete. D'où l'idée du divorce dans l'esprit d'Elli qui ne songeait qu'à être active, virile et à donner à son amie des preuves d'amour. A peine avait-elle encore un regard pour l'homme. Avant Noël il travailla toute la nuit, deux fois trente-quatre heures. Mais elle courut chez la Bende. Dont le mari lui avait déjà interdit la maison, les bavardages, le copinage des deux femmes ne lui plaisant pas. Link aussi voyait leurs relations d'un mauvais œil. Il ne croyait pas aux visites chez la Bende, il était jaloux d'un autre homme. Les deux femmes avaient peur d'être surprises par leurs maris et se rencontraient souvent en coup de vent dans la rue. La correspondance dangereuse qui exaltait les sentiments redoubla : c'était déjà une sorte de fuite devant les hommes, c'était une sorte de vie commune idéalisée, sans hommes. Elles se donnaient les lettres en main propre, dans la rue, se les faisaient porter à l'occasion. Elles étaient convenues d'un signal avec les rideaux pour indiquer la présence et l'absence des maris.

Survint une nuit terrible, celle de la Saint-Sylvestre. Une fois de plus Link, cet être triste et morne, était au comble de l'exaspération. Un instant seul avec Elli, il la menaça : "Rentre un peu à la maison, et tu pourras compter tes abattis !" Elli, dans sa peur, le raconta à sa belle-sœur chez laquelle ils étaient. Celle-ci prit le parti d'Elli. Elli n'avait qu'à le quitter, si ça ne changeait pas ; il retournerait chez la mère. La belle-sœur fit en sorte que le couple passe la nuit chez elle. Le matin du 1er janvier Elli rentra à la maison. Lui n'arriva qu'au soir, ivre. Hurlant, l'injuriant : "Putain, salope !", les coups partirent.

Le 2 janvier, Elli s'enfuit secrètement. Les préparatifs pour sa fuite, elle les avait mis au point avec la Bende et sa mère. Celles-ci lui avaient déniché une chambre à proximité, chez Mme D. La tempe droite couverte de taches bleues et vertes, Elli fit son apparition chez cette femme. Elle était en liberté. Son mari ignorait l'adresse.

La Bende triomphait. En fait elle aussi s'était enfuie, par la même occasion, à sa façon peu courageuse, hésitante. Elle se sentait soulagée ; plus forte, plus assurée dans ses luttes à la maison. Elli était toute à elle. Elle se félicitait démesurément de la fuite. Il faudrait qu'Elli reste ferme, il faudrait qu'elles restent ensemble, c'est maintenant qu'il fallait battre le fer. "Mais, mon amour, si tu rentres ou si tu aimes quelqu'un d'autre, nous disparaîtrons à jamais de ta vue." Elle connaissait, par référence à elle-même, les incertitudes, les faiblesses d'Elli, la mettait en garde contre Link, ce misérable, ce gredin. Qu'elle ne se laisse pas prendre à ses lettres, pure dérision, parodie d'amour. Il n'avait qu'à crever dans le ruisseau. "Je te le jure solennellement : si tu retournes à lui, tu m'auras perdue à jamais." La femme amoureuse voyait avec angoisse qu'Elli s'était enfuie comme une femme traquée ; et encore uniquement grâce à son aide. Pour peu qu'elle se calme et que Link tente de la reconquérir, la situation deviendrait dangereuse. Grete écrivit à Elli – car elle continuait d'écrire, par goût de l'atmosphère irréelle des lettres – que sa mère et elle avaient trop d'honneur et de caractère pour jamais repasser le seuil de sa maison si Elli retournait chez son mari. Qu'elle ne pouvait y penser sans que son cœur se brise de chagrin et de tristesse.

Link restait seul. Sa mère n'habitait plus avec lui. Il buvait, sacrait, allait la voir, gueulait. C'était une nouvelle infamie d'Elli. Elle était dure. Il voyait bien qu'elle l'aurait une fois de plus. Sa rage impuissante à la pensée que cette gamine osait ainsi jouer avec lui. Se rebeller ne servait à rien. Ça, ce n'était que la surface. Il percevait déjà autre chose. Déjà il avait le dessous, et déjà essayait de l'aimer à nouveau. Dans les premiers jours emplis de douleur et de soif de vengeance il tint bon. Puis redevint l'homme d'autrefois, celui des fiançailles. Il se représenta les scènes des derniers jours. Il avait été épouvantable avec cette petite Elli. Son vieux sentiment d'infériorité se réveilla ; il voulait devenir meilleur ; ce qu'il interpréta ainsi : il se languissait d'elle. Et chaque jour passé sans qu'elle vînt, sans qu'il eût de ses nouvelles, augmentait son sentiment d'indignité, ses souffrances, sa nostalgie. Il bavarda avec sa logeuse qui lui confirma, alors qu'il était très affecté, qu'Elli était toujours pressée de courir chez son amie, et que son ménage en pâtissait. Il résista encore quelques jours puis rendit les armes. Ecrivit à ses beaux-parents à Brunswick, heureux de sentir le papier sous ses doigts, et le dialogue avec elle commença. Il se plaignit : "Combien de fois n'ai-je pas prié et supplié ma chère femme : Mais dis-moi quelque chose quand je rentre le soir. Combien de fois ne l'ai-je pas priée : Ne passe pas toutes les journées chez les Bende !" Et puis : "Que je l'aie battue, ça peut se comprendre. Songez que pour préparer à ma femme un beau, un agréable Noël et améliorer ma situation, j'ai dû travailler tard, et que je suis rentré à la maison épuisé physiquement et moralement. Et voilà qu'Elli a voulu faire des courses et s'est rendue chez son amie, bien que j'y sois opposé, tout comme M. Bende. Elli n'a pas quitté leur appartement, bien que M. Bende lui en ait interdit l'accès. Une dispute a éclaté entre les époux Bende. Pourquoi faut-il qu'Elli agisse ainsi ? Elle m'a frappé en pleine figure et moi je lui ai administré quelques claques." Il termina sa lettre par de longues protestations d'amour.

Sa femme n'était pas loin de lui chez cette Mme D., elle se calmait, heureuse de s'en remettre à la Bende. Cette fois-ci elle n'était pas allée chez ses parents. Ici il y avait son amie, tout était clair et net. Elle consulta un avocat, Mᵉ S., lui parla des mauvais traitements. L'avocat requit une ordonnance provisoire afin qu'elle soit autorisée à ne pas reprendre la vie commune et que son mari ait à verser une avance pour le procès ainsi qu'une allocation mensuelle. Le certificat médical et le témoignage sous serment de Mme Bende et de sa mère servirent de preuve. Le 19 janvier fut rendue l'ordonnance provisoire, sans débats. La date du 9 février fut retenue pour le divorce.

Telle fut la bataille d'Elli. Elle était sur la voie de sa libération, prête à dénouer le lien qui la rivait à Link. Les choses auraient continué sur cette voie si, quelques maisons plus loin, il n'y avait eu Link, un Link tourmenté, qui s'accusait ; une nature maladive, malheureuse, qui parfois trouvait un apaisement dans la bière et l'alcool et qui ne demandait que sa femme. Son impatience devint même telle que, renonçant à écrire, il lui fallut prendre le train pour se rendre à Brunswick chez ses beaux-parents. Incapable de renoncer à elle. Il était en chute libre, rien ne le freinait plus. De même qu'il battait sa femme, buvait jusqu'à l'ivresse, déchirait des vêtements, cassait des chaises, il lui fallait écrire des lettres, prendre le train. Ce n'était pas le besoin d'arranger les choses, de s'amender, mais un morne laisser-aller où rien ne le retenait plus. Une dérive grinçante.

La famille de Brunswick l'accueillit sans aménité. Les lettres d'Elli avaient indisposé, la mère doutait. Le père finit par s'en tenir à son point de vue patriarcal : la femme doit suivre son mari. Il donna à Link l'adresse d'Elli. Et lorsqu'un refus glacial arriva en réponse aux lettres suppliantes, presque serviles, le père en personne accompagna Link à Berlin.

Le cercle autour d'Elli et de Link allait se refermer. Le père et Link en personne, les deux hommes, le refermèrent. La question était de savoir qui des deux survivrait, Link ou Elli.

D'elle-même, mais aussi poussée par la Bende, Elli avait intenté une action en divorce. Toutefois, se retrouvant dans sa chambre seule ou en compagnie de la Bende, d'autres pensées lui vinrent. Qui se renforcèrent d'abord sous les premières pressions familiales, puis à l'arrivée de Link et de son père. Avec la contrainte qu'il exerçait sur elle, ses actes de violence, l'atmosphère de fureur qu'il faisait régner, le terrible Link la rebutait, mais à présent c'était la Bende, avec sa soif d'amour, qui l'avait prise dans ses filets. Et là aussi bien des choses lui manquaient. Elle trouvait que la Bende avait tout de même moins à lui offrir que son mari. Entendant par là un cadre domestique, une dignité sociale, sans parler de l'aspect financier et de la sexualité normale à laquelle elle s'était quand même habituée. Elle était tombée de Charybde en Scylla. Ce n'était pas ce qu'elle avait imaginé. Une telle liaison, un tel attachement à la Bende : ce n'était pas non plus ce qu'elle voulait. En elle battait continuellement la honte, le sentiment de culpabilité qu'engendrait cette relation. A l'arrivée du père cela s'intensifia.

Papillonner, frivole, à travers le monde, mener une vie conjugale peu contrainte et en tout cas rester unie à ses parents : tels étaient ses besoins les plus pressants. Bien qu'habituée très jeune à être libre, elle n'était jamais complètement sortie de leur maison, elle était toujours restée leur fille. Et sa gaieté aussi était celle d'une jeune fille qui refuse et même redoute la sexualité.

Avec le père arriva Link. Elle savait qu'il la rechercherait et se mettrait en quatre pour la retrouver. C'était une brute, la Bende avait bien raison. L'écraser devant son père lui fut un plaisir. Au cours des séances d'explication, elle prit tout à fait le ton de la jeune fille de la maison : elle était la fille de cet homme. Le brave homme de Brunswick se trouvait devant elle dans une position délicate. Link fléchissait, reconnaissait sa faute. Triomphante, déchargeant sa haine, sa vindicte, elle s'acharna sur lui, l'accabla de reproches à cause de ses brutalités, de ses mauvais traitements. Elle ne faisait qu'un avec son père.

Voici peu, elle courait chez l'avocat, demander le divorce. A présent elle louvoyait. Le père s'obstinait : la femme doit suivre son mari. La rencontre avec son père était une fois de plus un événement marquant ; c'était sa famille, son sol ; elle se courba vers cette source. La majeure partie de sa tension intérieure récente avait trouvé à se défouler. Elle voulait se soumettre, il fallait qu'elle se soumette à son père. Il le fallait. A présent surtout elle se sentait très unie à son père. C'était lui qui les réunissait, Link et elle. Du coup, Link prenait un autre visage. A présent sa propre liaison avec la Bende apparaissait aussi sous un jour plus cru, très désagréable. Et en écoutant son père et en le regardant, elle avait honte de son emportement haineux, de sa virilité. Link était dompté ; ses parents s'occupaient d'elle : tout pouvait encore s'arranger, tout allait s'arranger.

Le père repartit. Elle lui promit de retourner avec Link. Subsistaient en elle, surtout après son départ, une certaine inquiétude, un reste de doute vigilant. La décision de rentrer avait quelque chose d'insatisfaisant. Tout en cédant, elle sentait la difficulté de l'affaire ; des querelles servirent d'exutoire à son appréhension, sa peur, sa répugnance. Pendant deux jours encore elle garda sa chambre chez Mme D. Deux jours durant elle hésita, tiraillée de-ci, de-là. Elle fut soulagée lorsque, au troisième jour, son mari, hors de lui, la menaça. Alors elle réintégra le domicile commun. Obéit. Le père et le mari l'y avaient décidée. Elle avait curieusement peu honte devant la Bende ; dans les derniers jours l'inclination pour son amie avait étrangement diminué.

Link, l'ayant retrouvée, se sentait mieux. Sa colère l'avait abandonné, à moins qu'il ne fût satisfait. Il pouvait être tranquille. Pouvait dormir, travailler, rire, se réjouir avec elle. Quelle gentille femme il avait ! Et elle le regardait. Exultait. Ils allaient bras dessus, bras dessous. A la Bende Elli ne songeait guère. Elle songeait même à la laisser courir. Ces journées furent presque plus belles encore que leurs fiançailles. Dix jours. Comme une éclipse volontaire, presque une rêverie où tous deux étaient plongés, qu'en partie ils se jouaient, mais qui ne pouvait durer longtemps.

A des riens ils s'éveillèrent et se reconnurent. Ce fut d'abord le retour d'une certaine intonation, suivie de désaccords, de disputes insignifiantes. Puis tous deux dérapèrent. Les choses retombaient dans l'ornière.

Ils étaient redescendus sur terre. C'est l'impression qu'ils eurent ; ils ne s'étaient pas élevés, ils avaient juste oublié. Et quelle chute. Quel désastre. La rage de la déception au ventre, dans une colère épouvantable, elle se tenait là, pensait avec fureur à son père – non, ce n'était pas à son père qu'elle pensait maintenant. Dire qu'elle venait juste de s'enfuir, que ce Link l'avait reprise alors qu'elle avait déjà intenté une action en divorce : et pour en arriver là ! Lui aussi enrageait, sans voir que ni lui ni elle n'avaient eu la volonté de se réconcilier. Il était décidé à ne plus rien lui passer. Il lui avait couru après, il avait dû la ramener de force, il fallait qu'elle le paie.

Link avait l'impression d'avoir recouvré sa liberté. C'est dire à quel point il était perturbé. Et elle l'impression de s'être tout à fait retrouvée. Il se laissa complètement aller. Jusqu'à la battre. La boisson lui donnait du courage, de fortes impulsions. Le terrible esprit dévastateur qui l'habitait, lui le déçu, l'éconduit, le poussait à nouveau vers la bière et l'alcool. Ainsi desserrait-il tous les freins en lui. Il fallait qu'elle rampe, qu'il lui fasse sentir qui il était. Qu'elle rampe de plus en plus, de plus en plus bas. Il l'agaçait comme on agace un insecte. Renversait les plats dans son lit. Recourait à des matraques, à des cannes, à la boxe. Et non par plaisir. C'était un homme malheureux. Il agissait comme par compulsion, dans un désir de destruction aveugle, plein d'amertume, de désespoir, se torturant lui-même. Souvent, après ces circonstances où il se déchaînait, il émergeait de la folie barbare qui l'enténébrait, et après l'avoir frappée, injuriée, après avoir déchiré vêtements et sacs à linge, se laissait gagner par la lassitude, la résignation. Mais la plupart du temps c'était un combat stérile avec lui-même. Un sourd besoin d'éclater. Souvent il levait contre elle un poignard. Et alors, quand elle lui avait échappé – elle suppliait, se battait à coups de pied, à coups de poing, une nuit il voulut même la jeter, nue, par la fenêtre –, alors il continuait à tourner un moment comme un fou, sortait, et peu après elle l'entendait râler : il s'était pendu à la porte du salon ou à celle des cabinets, il était déjà bleu. Elle coupait la corde et devait ensuite l'allonger, épouvantée, pleine de répugnance et de dégoût.

A cette époque, le destin du père qui avait fini par se pendre s'imposait de plus en plus clairement dans la vie et à travers la vie de cet homme. Plus sa déchéance avançait, plus il devenait la proie, le moyen d'expression de ce destin ancien. A cette époque et même sans l'aide de sa femme, il prenait le chemin de la mort. Il était extrêmement perturbé. Des signes de dégénérescence épileptique se manifestèrent.

Ses besoins sexuels avaient augmenté. Il cherchait de plus en plus fréquemment, de plus en plus intensément à s'avilir, lui et la femme. A nouveau il l'attirait et l'acculait dans la sombre sphère de la haine. Suscitant en elle des instincts qui devaient ensuite se retourner implacablement contre lui. Au fond ce fut son propre instinct de haine qui plus tard le tua. Il lui fallait fouiller le corps d'Elli, faire jaillir la sensualité du moindre repli de sa peau. Il ressentait le besoin de l'engloutir, au sens propre, physiquement pour ainsi dire. Ce n'étaient pas de simples paroles lorsqu'il lui disait, dans une étreinte sauvage, qu'il lui fallait ses excréments, qu'il lui fallait les manger, les avaler. Ce genre de choses se produisait dans des moments d'ivresse, mais aussi de sobriété. C'était, d'une part, autoflagellation, soumission, mortification, pénitence pour son infériorité, sa mauvaiseté. D'autre part une tentative pour se guérir de ce sentiment d'infériorité : par élimination de ce qui lui était supérieur. Et, indépendant de cela, le désir à l'état brut, une fureur sanguinaire, voilés dans une tendresse bestiale.

Bientôt elle ne fit plus qu'un avec lui, dans cette sphère de haine, de brutalité qu'il engendrait. Extérieurement elle continuait de se défendre, essayait de se dégager : n'avait-il pas honte d'exiger de pareilles choses ? Cynique il répliquait : "A quoi ça sert que tu sois ma femme ? Tu n'aurais pas dû épouser un forçat." Alors elle se retirait en elle-même, se cachait. Mais l'emportait, lui, en elle.

Que faire ? mais que faire à présent ? Maintes fois elle avait supplié son mari : elle voulait un enfant. Il avait répondu que s'il en venait un, il le poserait aussitôt sur de la glace ou lui enfoncerait une aiguille dans le crâne. Elle était seule. Surmontant sa honte face à la Bende d'être revenue, elle se jeta de nouveau à son cou. Au début, elle se sentit mal à l'aise. Mais elle avait besoin de Grete pour soulager son cœur, pour parler, et Dieu sait quoi encore. Quelque chose la travaillait violemment. Si violemment qu'elle se sentait souvent égarée, ne savait plus où elle était, ce qu'elle faisait. La fureur d'avoir suivi Link une nouvelle fois l'égarait, la fureur de voir ce dernier manquer à sa parole de vivre en paix que pourtant il leur avait donnée à son père et à elle. La haine insondable, totalement bouleversante contre l'homme qui avait usé puis abusé de l'autorité paternelle, et lui objectait, sarcastique, au cours de leurs querelles : "Maintenant tu ne m'échapperas plus." "Cela lui rongeait sans cesse l'esprit", dit-elle plus tard. C'était plus fort qu'elle. La sphère de haine l'engloutissait, aspirait toute son énergie. Pour la punir de certains oublis, de disputes, de refus sur le plan sexuel, il lui supprima l'argent du ménage, refusa qu'elle reprenne son travail, pour ce qui était de lui, elle n'avait qu'à se faire de l'argent en allant avec des hommes.

Grete s'était inquiétée pour Elli lorsque Link avait fini par aller la rejoindre chez Mme D. Il lui parut saumâtre d'apprendre le lendemain qu'Elli avait déjà réintégré son foyer et se trouvait dans les bras de Link à l'heure même peut-être où elle s'inquiétait. Dans la semaine suivante, elles se virent peu ; Elli l'évitait. Et lorsqu'elles se rencontrèrent dans la rue, Elli, après quelques mots embarrassés, laissa en plan son amie qui aussitôt s'installa devant son cher papier, pour se plaindre du mal qu'elle venait de lui faire, "alors que toi seule sais que je te suis attachée comme la bardane qui s'accroche aux vêtements... Pourquoi me faire ainsi sentir que tu t'entends bien avec Link ? J'en pleurerais, ma chérie, quand je pense que je t'ai revue, marchant joyeusement avec lui". Le chagrin de la Bende ne dura guère. Elle reprit Elli, pécheuse repentie. Elle était piquée : comment Elli avait-elle pu lui faire cela ? Mais sa passion était trop violente.

Elli était désespérée, désemparée, brisée, et en tendant la main vers son amie, elle ne savait qu'une chose : elle avait besoin d'elle, elle la voulait, la voulait maintenant. Dans son désespoir elle n'avait plus qu'une pensée : punir l'homme, effacer l'outrage, la honte que Link leur avait infligée à son père et à elle. Il fallait en finir avec Link. Il lui avait inoculé des sentiments violents. Elle aima soudain son amie à la folie. Au point d'en être elle-même surprise. Elle aima la Bende comme le fugitif sa cachette ou son arme. Elle se jeta dans cet amour, folle de rage, menaçante. En même temps s'accrochait à son amie pour se protéger du pire, car elle pressentait déjà ce que lui inspirait la soif de vengeance et voulait s'entourer du plus passionné des amours, se faire sourde et aveugle. Déjà Elli formulait ces paroles mystérieuses et volontairement obscures que par la suite elle répétait sans cesse : elle voulait prouver à Grete l'amour qu'elle lui portait.

Cette passion amoureuse pour la Bende qui s'éveillait en Elli n'était pas un instinct puissant jusqu'alors endormi : mais une passion engendrée, créée justement par ces circonstances-là. Elles firent lever quelque chose qui végétait, tapi au fond d'elle, un ancien mécanisme au bout du rouleau. Comme chez des naufragés qui en viennent à commettre des actes monstrueux dont on peut difficilement dire qu'ils leur ressemblent, ce qui germa en Elli prit possession d'elle, effroyablement, pendant toute une période, elle ne put y échapper. C'était cet homme terrible, elle l'avait assimilé et maintenant devait l'expulser.

Les deux femmes attisaient leurs sentiments amoureux par la haine incessamment renouvelée de leurs maris – de Link plus précisément, car avec la haine de son mari, la Bende se contentait de suivre le mouvement, de parader. Avec cette haine en tête, elles cherchaient à se justifier, à masquer la singularité répréhensible de leur amour qu'elles-mêmes tenaient pour criminel et coupable. Et dans ces conversations, ces embrassades, ces attouchements, Elli trouvait une sécurité, une assurance singulières. Ce que la Bende écrivit un jour correspondait tout à fait à sa propre pensée : "C'est un vrai drame d'avoir des types semblables sur les bras et d'avoir à nous contraindre pareillement." C'était pour Elli la paix, la sécurité dans une zone particulière de son âme où elle se confinait pour pouvoir s'expliquer avec l'homme. Et qui lui convenait : des idées dangereuses de vengeance la travaillaient, elle voulait faire quelque chose de secret, de répréhensible. Se jeter dans les bras de la Bende était déjà le premier pas décisif sur le terrain de l'interdit.

D'abord une idée surgit en Elli : Il faut qu'il soit cloué au lit, afin qu'il sache ce que vaut une femme. Déjà elle souhaitait sa mort, purement et simplement, mais elle se le cachait : ne voulait pas encore consciemment l'éliminer. Consciemment elle pensait : Comment puis-je le changer, l'amender ? Les deux femmes étaient à cran maintenant. Les hommes les séparaient. Link se révélait dans toute sa brutalité. On ne savait que faire. On courait chez des cartomanciennes qui faisaient comme d'habitude des allusions obscures concernant l'avenir. Elli envisagea une action en divorce, puis laissa tomber. Pourquoi ? Dans son âme une autre solution était déjà prête ; elle doutait, disait-elle, qu'on lui accorde le divorce. Dans ses lettres, elle exprimait souvent sa honte d'être retournée vers Link et d'avoir causé tant de peine à son amie : "Mais toi seule, toi seule, tu verras – je te le prouverai – que je te sacrifierai tout, quitte à le payer de ma vie."

Elli, la lucide, la terre à terre, connut au cours de ces semaines d'étranges, de fabuleux élans romantiques. Cela ressemblait, en beaucoup plus exalté, à ce qui les avait unis, Link et elle, deux semaines durant : un rêve, et à présent une ivresse. L'ensemble de ses perspectives psychiques en fut décalé ; son timbre intérieur changea. Sous l'action des deux forces fascinantes qui la travaillaient : sa haine irrépressible contre Link, qu'elle voulait expulser, et sa passion amoureuse pour l'amie. Cette passion surtout fouettait son héroïsme, la poussait à se montrer virile et héroïque ; et toujours cette promesse : "Je te prouverai mon amour". La conjugaison de ces deux sentiments ultra-violents répandait sur son âme une fascination qui la subjuguait et dont elle ne pouvait se dégager. Elle était souvent dans le ravissement, et dans ce ravissement trouvait qu'elle ne vivait que pour la Bende : "Coûte que coûte, être heureuse et se perdre dans l'amour." Elle la récusait lorsque celle-ci se disait coupable. "Non, je ne te rends coupable de rien." Et à côté de cela, la même rengaine : "Je veux me venger, c'est tout." De qui ? Qui voulait-elle punir ? Pourquoi cette pulsion prenait-elle des formes si fantasques ? Déjà elle ne s'en prenait plus à cet homme particulier, à la personne réelle de Link.

D'abord la sphère de haine qu'il avait engendrée fut quelque chose qui mobilisa les forces vives de son âme ; puis cela s'étendit spontanément, grandit, chercha des objets. A cette sphère de haine, puissance étrangère implantée de force en elle, s'opposaient ses propres dispositions psychiques, ses propres convictions anciennes. Elle avait connu un équilibre intérieur qui ne s'était pas réalisé facilement. La haine le lui avait fait perdre. Le jeu subtil des forces statiques était troublé ; le mécanisme essayait de repartir, exigeait de revenir à l'état ancien, un état de sécurité. Elle devait repousser la nouvelle surcharge, tendre à une répartition harmonieuse des forces intérieures. Et elle y aspirait d'autant plus que cette haine lui semblait un élément étranger, menaçant, angoissant, qui voulait détruire sa pureté intérieure, sa liberté, sa virginité. Car Elli avait et conservait en un certain sens un caractère virginal. Elle était prise dans un processus de purification ; les masses purulentes se rassemblaient autour d'un foyer d'infection. Déjà une volonté d'agir s'était développée souterrainement. A qui la fascination, l'état de rêve pouvaient servir, étaient même indispensables. Qui devait absolument créer ce climat. Et Elli, depuis longtemps sans guide, laissa faire, s'y jeta même. C'était pour elle une extase, un sommeil où elle se réfugiait.

Mais le plus dur pour elle, ce n'étaient pas ces choses à propos de Link. C'était son conflit intérieur Mme Bende. La Bende non plus ne lui faisait pas de bien. Oui, la Bende et Link étaient de la même trempe, sentait-elle obscurément. La Bende insistait, la courtisait comme Link l'avait fait ; tous deux étaient des êtres irrésolus, déçus, assoiffés d'amour. D'un geste brutal, voire téméraire, elle écarta le conflit né en elle. Ni l'un ni l'autre elle ne les voulait tels qu'ils étaient. Désespérée elle finit par se ranger du côté séduisant, mais qui déjà lui répugnait. Elli traversait une crise terrible. Assaillie par son destin comme son mari. Et comme lui en danger de mort. Après une scène démente avec Link, elle songea à s'enfuir, ou à s'empoisonner après lui avoir donné du phénol.

Quelle raison la poussa à choisir le poison, au lieu d'une mort rapide ? La haine en Elli était énorme ; et pour s'affirmer Elli devait s'effacer. Ce ne fut pas seulement la lâcheté, la faiblesse qui la poussèrent à choisir cette méthode d'assassinat féminine. Link faisait de fréquentes tentatives de suicide par pendaison. N'était-ce pas étonnant qu'à chaque fois elle le dépende ? Ce spectacle l'épouvantait ; mais il fallait qu'elle le dépende et l'allonge ; qu'il poursuive donc son existence misérable. Ce furent ces instincts-là qui, continuant d'agir même en état d'ivresse et la liant à ses parents, concoururent au choix du poison. Elle voulait tuer pour se détacher de Link et retourner ensuite chez eux. La suppression du mari devait passer inaperçue. L'empoisonnement s'insérait dans sa régression vers des sentiments infantiles et familiaux. S'y ajoutait la haine inextricable qui la liait à son mari. Il l'avait incitée à se lier à lui dans la haine ; or, cette haine visait à tuer, elle ne visait pas la mort. Ils se tuaient depuis toujours ; elle voulait le garder afin de pouvoir le tuer plus longtemps. Elle continuait à lui être attachée, alors même qu'elle l'empoisonnait lentement. En demi-ton courait la pensée, la pensée très sincère, qu'il s'amenderait. Pensée fréquente, souterraine, hésitante, qu'elle dissimulait à la Bende : En vérité je ne veux pas le tuer, je veux juste le punir, il s'amendera. Au-delà de l'amour sadique, il y avait en elle un penchant pour Link qui découlait de son sens de la famille : après tout il était son mari. Et tout en se taisant face à Grete, elle percevait aussi, amère et méprisante malgré la passion, les liens inextricables entre Grete et Bende.

Elle paraissait souvent totalement absente et changée chez son amie, et devait s'excuser, obsédée qu'elle était par le souci de se procurer quelque chose. La crainte de ne pouvoir "rien se procurer", l'inquiétude des moyens pour y parvenir la rendaient malade. Et puis le désarroi, le ravissement : "Ma chérie, tu verras comme je me battrai pour toi et que j'y arriverai. Jamais il ne me laissera tranquille. Mais je ferai en sorte que lui se tienne tranquille."

Ce serait de la mort-aux-rats. Elle écrivit plus tard : "pour rats à deux pattes". C'était plus discret. Ça pouvait se trouver.

Grete avait suivi l'évolution, emballée. Non sans crainte parfois, mais toujours avec des frissons d'amour, elle observait au comble du ravissement les agissements de son amie. A cette époque son mariage n'allait pas mal ; elle ne prêtait guère attention à son mari, beaucoup trop absorbée par les affaires d'Elli. Au comble de la joie, elle écoutait les protestations de la Link. Elle trouvait juste que cet homme disparaisse, ce misérable qui la lui avait presque arrachée. Mais elle la conjurait d'être très prudente, afin de ne pas avoir à souffrir, innocente, pendant des années. "Jamais, au grand jamais, maman et moi, nous ne t'abandonnerons." A partir de ce moment, Elli aussi remarqua moins la brutalité de son mari ; la fascination la rendait insensible aux stimulations extérieures ; plus rien ne passait. Pour elle l'affaire était classée. Elle ne lâchait pas son étoile du regard – le meurtre, oui, on en était là maintenant.

La Link se rendit chez le droguiste W. Lui demanda quelque chose contre les rats qui envahissaient son logement. Il lui vendit une préparation empoisonnée. Quelque temps plus tard elle revint, insistant pour avoir un produit plus fort. La préparation s'était avérée inefficace. Il lui vendit fort légèrement pour deux marks de poison, soit dix, quinze grammes d'arsenic. Sa décision d'écarter Link était inébranlable ; c'était un enfant de son âme, arrivé à terme. A présent elle devait traverser l'horreur de l'exécution. Au début, elle n'avait aucune idée de la chose.

On était en février-mars 1922. Au commencement tout fut facile. Soit qu'elle l'ait provoqué, soit qu'elle ait simplement laissé venir : le soir il rentrait à la maison ivre, titubant, lui jetait le dîner à la figure, la renversait sur le lit, exigeait de la purée de pommes de terre. C'est là-dedans qu'il reçut la première dose de poison. Et trois jours plus tard la seconde. L'homme tomba malade ; des troubles intestinaux et gastriques apparurent. Il garda le lit huit jours, puis reprit le travail. Les symptômes s'aggravèrent alors. L'empoisonnement gagna tout l'organisme. Elle vit qu'il essayait vainement de suer pour éliminer, mais "ce truc le tenait". Tout semblait se dérouler correctement, il ne se remettait pas vraiment sur pied, elle ne le lâchait pas. Mais il y eut pire. Peu à peu, à travers le voile de sa fascination, elle fut bien obligée de voir ce qu'elle faisait. Un jour, se sentant mieux, il n'était pas rentré ; elle craignit qu'il ne se soit effondré, qu'un médecin ne lui ait fait un lavage d'estomac et n'ait découvert le poison. De son amie lui parvenaient des paroles peu encourageantes, troublantes : un homme éclatait, paraît-il, sous l'effet du poison. Elle le croyait et avait peur. Souvent elle ne savait plus où elle en était : elle portait en elle une terrible fébrilité, se mettait à marcher aussi loin que ses jambes la portaient. Elle demanda à la Bende si c'était cela la mauvaise conscience.

Grete se rendait compte de l'état d'Elli. Que n'avait-elle donné tout le poison d'un coup, à présent ce serait fini. Surgissait aussi la peur effroyable de la découverte. "Mais toi, mon unique amour, n'oublie pas non plus d'être très prudente, afin que plus tard rien ne transparaisse. Car ces misérables n'en valent pas la peine."

Et lorsque l'époux Bende apprit que Link était malade, il dit en plaisantant : "Eh bien, d'ici à ce que la Link lui ait donné quelque chose ! Elle s'est vantée qu'un jour elle se vengerait." Sa femme : "Dans ce cas, jamais le médecin n'aurait diagnostiqué une grippe qui lui est tombée sur la poitrine." Et une voisine, une certaine Mme N., confia à la mère de la Bende qu'à son avis il y avait du louche dans la maladie de Link : Mme Link y était sûrement pour quelque chose.

Chez Mme Link : extrême fébrilité, incohérence absolue. Epuisée, elle soignait son mari. Construisait, détruisait. Il restait là assis, couché : il ne passait pas. Il la rebutait, l'effrayait même d'une façon toute nouvelle, cet homme empoisonné. Elle voyait ce qu'elle faisait ; il était à ses yeux une abomination, une accusation vivante. Elle le soignait, se faisant souvent violence pour se montrer particulièrement bonne avec lui. La tâche qu'elle s'était assignée était épouvantable. Lorsque, une fois de plus, il se rétablit, elle fut paralysée. Elle décida d'attendre le printemps.

L'œil aigu, suraigu, de son amie captait certaines choses. Elli n'était-elle pas encore amoureuse de son mari ? Non, non, rétorquait cette dernière à la torture. Que voulait-elle de plus, c'est uniquement pour elle qu'elle agissait ainsi. Elli devait se justifier du souci qu'elle se faisait pour Link : si elle s'en faisait tant, "pourquoi lui donner ce truc ?". Dans ses discussions avec Elli la Bende se montrait forte en gueule. Emportée par son sentimentalisme elle avait un jour laissé échapper qu'elle aussi empoisonnerait son mari. Elle qui vivait avec lui sur un mode le plus souvent acceptable, qui tenait toujours à lui et luttait pour son amour ! Ce n'était pas sérieux, pas sincère. La Link lui donna un peu d'arsenic. Dehors, elle le jeta, épouvantée, et fournit à son amie une piètre explication : si jamais son mari venait à s'en apercevoir, il ne mangerait plus rien à la maison, et si la chose transpirait elle ne recevrait rien non plus de la "Victoria". Rivalisant avec Elli et afin de la récompenser, elle alla jusqu'à mentir et raconter qu'un jour les choses avaient failli très mal tourner pour elle. Elle aurait tenté de donner à son mari de l'acide chlorhydrique, il s'en serait aperçu, l'aurait forcée à en avaler, et maintenant elle se sentait très mal. Elli la crut. A cette époque la Bende en dit et en fit d'autres qui n'étaient que singerie romanesque de son amie. Elle parlait de la contrainte qu'elle s'imposait à la maison, disait ne plus rien ressentir pour son mari. Mais mieux valait pour le moment ne rien entreprendre contre lui ; les autres risqueraient de trouver bizarre la disparition simultanée des deux hommes.

Elli voyait le spectacle effrayant de l'homme malade qui, fiévreux, arpentait la pièce, grimpait aux murs sous l'effet de la douleur. Elle en souffrait cruellement. Devait se réfugier dans les lettres, s'y fortifier : "Je ne céderai pas, il faut qu'il expie, quelles qu'en soient pour moi les conséquences." De temps à autre éclatait en elle une insouciance inhumaine ; aux débordements succédait un relâchement de la tension. Alors, indifférente, elle lui apportait sa bouillie de malade et par la même occasion lui "réglait son compte". Et elle prenait plaisir à agir comme elle le faisait : par-devant comme ci et par-derrière versant le poison dans la nourriture. "Si seulement ce porc crevait. Il est coriace. Aujourd'hui je lui ai donné des gouttes, une bonne ration. Il en a eu de telles palpitations que j'ai dû lui faire des cataplasmes. Que je lui ai collés sous le bras, et non sur le cœur, mais il n'a rien remarqué."

Ces instants de détente cynique étaient assez rares. Certains jours sentiments de culpabilité et tourments intérieurs étaient tels qu'elle n'y tenait plus. Alors elle restait près de lui, le suppliait de ne pas la quitter, elle le soignerait. Elle redevenait l'épouse, l'enfant de la famille de Brunswick, et lui le mari que son père lui avait donné. La peur de la punition : "Si Link apprend qu'il est empoisonné, je suis perdue sans pardon ni pitié."

Que d'hésitations dans les paroles et les lettres échangées avec la Bende à cette époque. Elli, l'active, la virile, se projetait presque dans le rôle d'une esclave. Au beau milieu des pires nouvelles concernant l'état de Link, elle écrivait : "Quand j'en aurai fini avec lui, je t'aurai amplement prouvé que je n'ai agi que pour toi, mon amour." Un jour, sous l'emprise des commérages, des racontars, des fausses appréhensions, Elli prit le reste du poison, le vida dans les toilettes, et resta là, désemparée. La décision d'éliminer Link la pressait, la violentait.

Elle se torturait l'esprit, que faire à présent ? "Grete, essaie donc d'obtenir quelque chose. C'est à s'arracher les cheveux. Pourquoi ai-je été si sotte ? Maintenant c'est fichu. Gretchen, je t'en prie, procure-moi quelque chose. J'ai peine à croire que je pourrai jamais me libérer de lui, et je dois, je veux m'en débarrasser. Je le hais." Assises côte à côte les deux femmes pleuraient : elles avaient trop présumé de leurs forces. Grete, la méfiante, percevait des reproches muets dans l'attitude de son amie ; son cœur avait mal, écrivit-elle un jour, elle sentait sa faute et craignait pour son amour.

Elli retourna une fois encore chez le droguiste. Obtint à nouveau du poison. La victime cependant traînait à la maison ou courait les médecins. Ils diagnostiquèrent une grippe. Ses accès de fureur diminuaient, mais il restait l'homme sinistre et hargneux qu'il avait toujours été. De temps à autre il déchargeait sur sa femme l'humeur que lui donnait son état pitoyable. C'était un bourreau de travail. Si seulement il pouvait sortir, travailler. Parfois, en regardant Elli, il éprouvait des remords. Assise près de lui elle pleurait. Il ignorait pourquoi. A aucun moment cependant son âme ne s'éclaircit, ne se réchauffa. L'empoisonnement gagna l'estomac et les intestins, provoquant des crises de catarrhe intestinal. Vomissements et diarrhées cholériformes apparurent après des doses particulièrement fortes. Il devint livide, gris, avec des maux de tête, des névralgies, une faiblesse généralisée. Parfois des crises cardiaques, des états comateux, des délires.

L'horreur des derniers jours de mars qui précédèrent sa fin, les deux amies la vécurent dans une tension extrême. Bien que craintive la Bende était la plus calme des deux : elle était loin du danger et surtout sentait avec un ravissement constant qu'il se faisait là quelque chose pour elle. Toutes deux se berçaient encore de phrases : bientôt nul ne détruirait plus leur bonheur. Ce disant, elles étaient souvent prises d'angoisse fébrile. Sans cesse la Bende exhortait son amie au calme, l'avertissait de ne jamais montrer le moindre remords et de ne rien avouer lors d'un éventuel interrogatoire. Elle sursauta de joie en voyant arriver la Link un matin aux aurores ; persuadée qu'elle apportait une certaine nouvelle.

Dans l'âme d'Elli il n'y avait que rarement un sentiment pour Link. Une seule pensée la dominait à présent : en finir. Elle éprouvait encore parfois de la haine contre lui, parce que cet état se prolongeait. Et souvent renaissante car souvent appelée, cette douce fascination qui l'anesthésiait, ce sentiment très secourable : Je le fais pour mon amie, je lui prouve mon amour, après l'avoir tant fait souffrir par mon retour. A l'époque elle s'était précipitée dans cet amour avec violence, comme jamais encore. Maintenant l'amour reculait parfois en sourdine devant le désir d'en finir avec tout. A mesure que la haine diminuait, le sentiment amoureux faiblissait. Mais tout retour en arrière était impossible. Elle nourrissait des idées de suicide. En parlait à mots couverts, disant qu'elle saurait bien se soustraire à une condamnation : "Si la vérité éclate et qu'il me faille expier, je mets fin à mes jours." Et une autre fois : "Si ça éclate au grand jour, ce qui m'est égal, alors mes heures seront comptées, tout comme les siennes."

Vers la fin mars 1922, le poison vint à manquer de nouveau, et aucune des deux femmes, ni la Link ni la Bende, n'était plus en état de supporter ces souffrances, ces angoisses, ces peines et ces frayeurs extrêmes. La Bende accepta qu'Elli mette son mari à l'hôpital. L'énergie d'Elli était brisée. Faible et reconnaissante elle écrivit à Grete : oui, elle l'y conduirait ; et si jamais elle devait se remarier, elle épouserait son amie.

Link mourut le jour même de son entrée à l'hôpital Lichtenberg, le 1er avril 1922, à l'âge de trente ans.

La femme était soulagée d'un grand poids. Elle ne pensait pas vraiment à Link. Elle donnait l'apparence du chagrin, mais se sentait très heureuse, délivrée. Pourquoi ? Parce qu'elle n'avait plus à tuer, parce qu'elle se retrouvait et que sa propre maladie touchait à sa fin. Maintenant, espérait-elle, le balancier de son âme devait à nouveau fonctionner. En effet, que s'était-il passé ? Elle percevait – confusément – que quantités de choses effroyables venaient de s'estomper. A son sentiment ne se mêlait aucune cruauté envers l'homme mort, d'ailleurs elle ne lui consacrait que de rares pensées. Il lui arrivait même, à certains moments où elle pensait à lui, de se sentir mélancolique. Dans ces jours-là elle écrivit à ses parents que Link s'était amendé, qu'à la fin il avait tenu sa promesse. Devant elle et les autres elle n'avait que du bien à dire de lui. Elle avait eu de la chance : retrouvait son ancien milieu, plus pur, moins compliqué. A la tension angoissante des dernières semaines succédait une exubérance joyeuse. La confusion était totale ; elle ne voyait rien venir.

Vis-à-vis de la Bende elle retenait comme toujours certains sentiments et n'était que joie. Elle songeait déjà à un avenir plus lointain. Pour l'instant elle ne comptait pas se remarier, plus tard peut-être, si l'occasion se présentait et qu'elle puisse entrer en ménage avec un homme pourvu d'un petit magot. "Une jeune veuve joyeuse, voilà ce que je suis aujourd'hui, jubilait-elle sans égards pour les sentiments de la Bende, être libre à Pâques, c'est bien ce que je voulais ! Comme je n'ai rien à me mettre, je vais pouvoir m'acheter quelque chose. Et si la même chance t'arrivait et que ma mère vienne, elle ne nous reconnaîtrait pas. Nous serons les veuves joyeuses de Berlin."

Au cours des dernières semaines, la Bende avait traversé des affres épouvantables, elle avait hâte d'être au jour des obsèques. Dans l'assassinat de Link, elle tenait le rôle de l'instigateur tout aussi coupable que le criminel. Elle n'assista pas aux obsèques, sa mère, si. Elle crut devoir calmer son amie. "Le vrai misérable est celui qui aujourd'hui gît sous terre. Ce salaud ne devrait pas avoir droit au repos dans la tombe." Mais le même jour elle écrivait aussi : "Mon amour, penses-tu à moi en cet instant où il descend en terre, à moi qui suis la principale coupable ? Mon visage brûle comme du feu. Il est cinq heures moins vingt. Dans un instant, si l'horaire est respecté, commencent les grandes cérémonies et Monsieur le Communiste quittera ce monde."

Elli n'avait nul besoin d'encouragement. Cynique, orgueilleuse mais assez peu sincère, elle se vanta devant Grete : "J'ai exécuté tout ce que j'avais prévu. Je t'ai ainsi prouvé mon amour, prouvé que mon cœur ne battait que pour toi et jusqu'au dernier jour je n'ai donné à Link que l'illusion de l'amour. Alors que tu disais parfois : Tu as pitié de lui. Non, mon amour. A présent seulement je suis heureuse, heureuse d'avoir réussi avec quatre marks et d'avoir cloué sa gueule impie."

Mais déjà se manifestaient chez Elli des signes de plus en plus nombreux de désenchantement, de relâchement. Elle raconta à Mme Schnürer, la mère de Grete, la maladie de Link, qu'il voulait constamment travailler et qu'elle pleurait souvent tant il était bon envers elle à ce moment-là. Souvent son visage prenait des traits mélancoliques. La fascination s'estompait. Ce n'était pas la crainte d'être punie comme chez la Bende, mais le début d'une prise de conscience terrible, le retour du balancier. La Bende l'observait avec affliction, sentant qu'Elli se dressait aussi contre elle : "Tu es pour moi une véritable énigme. Je me fais tant de souci, de reproches. Même quand je suis avec toi, tu te montres contrainte comme si tu voulais constamment me dire que je porte la faute de ce que tu as fait." L'affliction de la Bende était immense. Désespérée, elle dit une fois qu'elle se reconnaissait coupable de tout ; Elli ne l'aimait pas vraiment ; le jour où elle était retournée à Link, elle aurait pu commencer une vie de bonheur.

Elli, la veuve, sortant de son deuil équivoque, se justifia devant son amie : "Chère Gretchen, comment peux-tu dire que je me soucie de Link ? Ne suis-je donc pas assez dure ? Si tout ceci n'était que contrainte, je ne serais pas aussi gaie. Crois-moi, pas une fibre en moi n'a vibré. J'étais indifférente, j'ai tout fait d'un cœur indifférent, et je ne le regrette pas le moins du monde. Je suis seulement contente, heureuse d'être délivrée."

A cette époque la Bende, rivalisant avec son amie et pour la séduire, feignit d'être active et de vouloir elle aussi écarter son mari. Peut-être se laissait-elle vraiment emporter, griser par de telles pensées. A cette époque, la peine, la peur pour son amie lui serraient le cœur. Mais dès qu'elle faisait un pas en avant, elle reculait aussitôt de deux. Elle consulta Mme Feist, la vieille voyante toute ratatinée, alla chercher des gouttes, raconta à son amie qu'elle les donnait à son mari. Elle était toute retournée et l'amour qu'elle portait à Elli la poussait à des choses qui n'étaient pas dans sa nature. Grete ne haïssait pas son mari, et quand elle embrassait Elli, malgré le plaisir, s'attristait, pleurait, aspirait à le retrouver. Sans cesse elle consolait Elli : "Attends-moi et reste-moi fidèle. On n'est pas encore au bout de nos peines." Parallèlement l'idée attrayante de faire venir Elli, de vivre avec elle et sa mère. La Bende, cette femme sentimentale, au sang chaud, entendit avec effroi son amie lui lancer un jour insolemment qu'il fallait qu'elle se libère au plus tard pour la Pentecôte. La Bende lisait, oppressée, ce qu'Elli lui faisait miroiter : qu'il était merveilleux d'être seule, de ne pas avoir à courir, à jouer les caniches, merveilleux de n'avoir à tenir compte de rien ni de personne. L'infantilisme et la dureté d'Elli, son insouciance, sa gaieté et son indifférence glacée lui apparurent nettement. A présent la Bende vivait un conflit, pour ne pas dire une crise. Et fut presque contente lorsque la catastrophe – la découverte – éclata.

On avait hésité pour Link entre la grippe, la malaria et une intoxication par l'alcool méthylique. Le certificat de décès porta la mention "intoxication par alcool méthylique". Ce fut la mère de Link qui, en voulant à Elli, déclencha l'affaire. Elli ne lui avait parlé de la maladie de Link qu'après sa mort, ajoutant qu'il avait succombé à une crise d'éthylisme. La mère de Link se rendit à la police pour accuser sa bru. S'ensuivirent des interrogatoires. Des médecins légistes firent l'autopsie du corps, certaines parties furent soumises pour analyse à un chimiste, le Dr B. Les analyses chimiques ne révélèrent aucune trace d'alcool méthylique ou de médicaments, mais la présence de quantités considérables d'arsenic. Quantités suffisantes pour tuer plusieurs personnes. Les médecins légistes constatèrent un empoisonnement dû à l'absorption régulière de doses inouïes d'arsenic.

La perquisition chez Mme Link fit apparaître un paquet de lettres, celles de la Bende précisément, puis quelques-unes des siennes que la Bende lui avait rendues. Elle les avait cachées dans son matelas. En ces jours d'orage Mme Bende garda le lit. Le 19 mai, un mois et demi après la mort de Link, sa veuve fut arrêtée. Le 26 mai Mme Bende fut incarcérée. Une instruction fut également ouverte contre Mme Schnürer.

Dans la presse les brefs communiqués concernant cette affaire firent un bruit considérable. L'instruction dura presque un an. L'audience eut lieu du 12 au 16 mars 1923 au tribunal de première instance de Berlin.

Elli Link reconnut tout d'emblée. On aurait dit une écolière intimidée. Puis elle se rebiffa. La haine contre son mari se ranima ; elle se sentait innocente ; n'avait fait que se défendre, qu'éliminer le scélérat.

Grete était bouleversée, apeurée à l'extrême. Et soulagée. Sa très mauvaise conscience d'autrefois l'obsédait. Elle avait aussi mauvaise conscience vis-à-vis de son amie. Elle se sentait coupable à sa manière, à sa manière un peu guindée tout en esquivant et se cachant derrière une indignation bruyante. Elle nia jusqu'à l'audience ; de pauvres mensonges, très transparents.

En prison, Elli retrouva ses esprits. Toute fascination avait disparu. Elle comprenait mal comment les choses en étaient arrivées là ; pendant sa détention préventive elle écrivit : "Comment en parler à présent ? C'est pour moi un mystère et ça le restera, tout me semble n'avoir été qu'un rêve." En elle, aucun sentiment de danger. Il n'y avait plus en elle cette colère brûlante contre Link, mais très généralement de l'apathie et une amertume dirigées aussi contre le mort, un refus apathique et amer, un dégoût incontestable qui lui permettait de se rétablir. Elle s'accrochait résolument au souvenir de ses brutalités, de ses méchancetés. La famille de Brunswick se mit en branle pour l'aider. A quel point Elli était insouciante, son animosité envers la mère de Link qui l'avait dénoncée et faisait déjà main basse sur les affaires d'Elli ou l'héritage de Link, le prouve. Elli alerta l'avocat qui autrefois s'était occupé de son divorce : devait-elle se laisser faire pareillement ? Dans une lettre de fin 1922 elle adressa des reproches à ses parents et à ses frères et sœurs : on aurait dû mettre ses affaires en lieu sûr. Tout ce qui lui appartenait avait disparu, il y avait de quoi s'arracher les cheveux un à un. "La vieille cherche des raisons pour me charger, mais qu'elle dise un mot et c'est moi qui parlerai, car la coupe est pleine. Link n'avait rien d'autre que du linge déchiré. Si les avocats ne se démènent pas un peu, je risque d'en prendre pour des années. Oh, cette femme ! Pourquoi a-t-elle élevé des enfants sans cœur ? Peut-être irai-je pieds nus ; ça devrait plaire à la vieille !" Elle raconte ensuite que le temps ici reste au beau, que l'air est délicieux. "Ne tombez surtout pas malades, je veux vous revoir tous, joyeux et en bonne santé. Veillez aussi, je vous en prie, à ce que mes affaires soient en ordre ; je verrai ce que je ferai, car j'ai de nombreuses obligations. Votre fille et votre sœur affectionnée. Elli."

Elle avait cru être tout à fait libérée de Link, s'être libérée de lui. Mais n'avait pas retrouvé son équilibre d'autrefois. A présent que la fascination de la haine et la passion amoureuse avaient reflué, qu'on voulait la punir à cause de son mari, elle recommençait à lutter contre lui. Elle le trimballait encore avec elle. Amalgamé à quelque chose de très profond en elle. En préventive, elle rêva beaucoup, des rêves oppressants. Elle en nota certains. Les voici.

"Mon mari et moi marchions dans une forêt et nous avons longé un précipice bordé d'un parapet. Nous avons été pris de frissons car au fond se trouvaient des lions. Link râlait et disait : Je vais t'expédier en bas ! Et je me suis retrouvée en bas. Les lions se sont précipités sur moi, mais je les ai caressés et cajolés, leur donnant même mes sandwichs. Ces bêtes ne m'ont rien fait. Tout en les nourrissant j'ai remonté la pente et franchi la palissade d'un bond. Mais Link furieux : Charogne, tu ne crèveras donc jamais. Il y avait là une porte qui était juste poussée. J'ai donné une bourrade à Link qui est tombé. Les lions l'ont déchiré, et il est resté là dans une grande mare de sang."

"J'étais assise avec une petite fille dans une chambre, nous jouions, plaisantions, nous câlinions. Je lui enseignais quelques phrases qu'elle devait dire lorsque Link rentrerait. Quand nous l'avons vu, nous sommes allées à sa rencontre en disant : Bonjour, papa, tu as passé une bonne journée ? A peine la petite a-t-elle prononcé quelques mots qu'il dit : Cette gosse, c'est toi tout craché. Alors il m'arrache l'enfant, la prend par les jambes et lui frappe la tête sur le coin de la table."

"Link avait acheté un petit chien. Il voulait en faire un chien de garde. Il tapait comme un fou sur cette bête avec une canne. Le chien hurlait dès qu'il entendait sa voix. Je ne pouvais plus voir ça et l'ai blâmé de maltraiter ainsi l'animal : Avec un peu de patience et de gentillesse tu obtiendrais de meilleurs résultats. Comme il ne voulait rien entendre, je lui ai pris la canne des mains et lui ai asséné un tel coup sur la tête qu'il est tombé raide mort."

"La salle était pleine de cadavres. Que je devais laver et habiller, mais par inadvertance j'ai renversé un banc. Tous les morts sont tombés par terre, en les relevant j'ai eu des frissons d'horreur, et j'ai voulu m'enfuir en criant. Mais j'avais beau courir, j'étais clouée sur place, et le cri m'est resté dans la gorge."

"J'avais été convoquée à l'audience. Et on m'a condamnée à une lourde peine. Comme je me cassais la tête pour trouver un moyen facile d'en finir, une surveillante m'a proposé de m'aider. Elle a pris un couteau et m'a coupée en deux."

"Entendant ma petite maman appeler, je suis allée à la fenêtre. Alors j'ai entendu quelqu'un entrer dans ma cellule, qui m'a écartée brutalement de la fenêtre."

"Il y avait dans ma chambre quelqu'un de complètement glacé, homme ou femme, je ne sais ; vivant ou mort, je ne le sais pas davantage. J'étais désolée que cette personne soit si glacée. J'ai tiré quelques charbons ardents du poêle et les ai glissés dans le lit, pour qu'elle se réchauffe un peu. Mais en un instant tout s'est enflammé, j'avais perdu l'esprit, une vraie folle. Qui pourrait comprendre ce sentiment : on se réveille, et on s'aperçoit qu'il n'y a rien de vrai ?"

"Dans la pièce il y avait une personne qui tenait un seau avec un serpent dedans. La personne a indiqué au serpent le chemin qu'il devait prendre, et celui-ci s'est enroulé autour de moi et m'a mordue au cou."

"Une cigarette à la main je regardais un drapeau blanc avec un aigle noir. Par mégarde j'y ai fait un trou avec ma cigarette. Cela m'a valu de passer devant le conseil de guerre qui m'a condamnée aux travaux forcés à perpétuité. De désespoir je me suis pendue."

"Nous jouions à jongler avec quatre balles. Les balles changeaient de couleur en l'air. D'un coup elles sont devenues des têtes qui me regardaient avec une telle expression que j'ai été terrorisée. J'ai eu des frissons d'horreur et me suis enfuie en courant. Mais malgré tous mes efforts, j'étais clouée sur place. Alors j'ai crié : Maman, au secours ! Mais ça aussi c'est resté coincé. Quand je me suis réveillée, j'étais baignée de sueur."

"Nous marchions à la campagne. Arrivant à un moulin, nous sommes entrés pour demander de la farine. Le meunier, un homme au cœur dur, nous a montré la porte. Furieuse, je lui ai donné un coup et il est tombé sous la roue qui l'a déchiqueté."

"Mon mari avait toujours songé à émigrer. Son vœu s'est réalisé et il m'a emmenée. Sur le bateau, tout ce que je voyais m'étonnait et je voulais tout savoir. Mes questions ont énervé Link qui m'a jetée par-dessus bord. Mais quelqu'un l'avait vu et on m'a sauvée. Link a été contrarié de me revoir ; je l'agaçais. Alors la colère m'a reprise : d'abord il avait voulu m'entraîner et voilà que maintenant il voulait se débarrasser de moi. Je lui ai donné un coup. Il est tombé malencontreusement à l'eau et n'est pas remonté. Mais je le vois toujours derrière moi."

"Tu m'as toujours promis de m'acheter des chaussures, tu pourrais tout de même me faire ce plaisir-là. D'accord, va pour des sabots, c'est bien assez bon pour toi. J'ai dit non merci, dans ce cas, je n'en veux pas. Ce non merci m'a valu un tel coup sur la tête que je ne savais plus où j'en étais. En reprenant lentement conscience je me suis aperçue que nous étions dans le tram. Link a dit : T'as pas fini de pleurnicher ? Alors je me suis rappelé ce qui s'était passé, et j'ai perdu le contrôle de moi-même. En descendant je l'ai poussé sous le tram qui l'a écrasé, et il est resté là, déchiqueté, baignant dans son sang."

Pendant sa détention Elli voyait souvent en rêve ou dans un demi-sommeil des objets et des visages qui s'agrandissaient démesurément. Elle disait en avoir mal aux yeux ; elle fut assaillie par des angoisses, des palpitations, à ne plus savoir que faire. Se surprit à errer comme une somnambule. Elle redoutait la nuit, se faisait des frictions glacées. Bénéfiques mais qui ne chassaient pas les mauvais rêves.

L'autre, la Bende, voyait elle aussi fréquemment son mari la nuit. Il la menaçait avec une hache et un poignard. Une peur épouvantable la terrassait alors. Mais elle avait aussi d'autres rêves plus légers, plus agréables. Elle courait sur de vertes prairies parsemées de fleurs, apercevait parfois de la neige lumineuse, se promenait avec son chien. Elle rêvait très souvent de sa mère et pleurait dans son sommeil, tant et si bien que sa compagne de cellule la réveillait. Elle voyait son mari mener la vie dure à sa mère. Puis elle rêvait de Mme Link, de son Elli, qui pleurait debout devant elle en disant : "Link m'a de nouveau tellement battue."

Elli avait été terriblement éprouvée par les événements, son incarcération, les interrogatoires. Non seulement elle revenait à la réalité mais une transformation s'opérait en elle ainsi que le montrent ses rêves. Ce n'est que maintenant qu'elle prenait pleine et entière conscience de son acte, maintenant que Link était réellement empoisonné par le poison qu'elle lui avait donné. La fin de la fascination qu'exerçait sur elle la passion y était pour beaucoup, jointe à son sens de la famille et aux exigences parentales intériorisées que la prison et les audiences avaient exacerbés. De là affluaient actuellement une masse d'impulsions sociales. Tandis qu'elle allait, de jour, apparemment calme et joyeuse, elle était de nuit dans ses rêves l'objet d'impulsions bourgeoises profondément ancrées en elle et qui se ravivaient. Elle avait grande envie de retrouver ses parents, sa mère : elle voulait rejoindre sa maman qui l'appelait, mais on l'arrachait de la fenêtre de sa cellule. C'était son délit qui l'éloignait de sa mère.

Sans cesse elle ruminait ce fait : Link est mort, je l'ai assassiné, mais c'était en vain, elle n'en venait pas à bout. Rejouait constamment dans ses rêves le scénario de l'assassinat, devait l'assassiner encore et encore – l'instance parentale l'y poussait – et produisait sans relâche de nouvelles tentatives de justification. Ses rêves n'étaient qu'un long combat entre l'instance parentale accusatrice qui tentait de s'imposer et les autres forces en elle qui résistaient, y compris dans le dessein salutaire d'échapper au raz-de-marée des terribles puissances paralysantes. Pour se justifier, elle se représenta la chute métaphorique dans la fosse aux lions. Elle disait dans cette métaphore pourquoi elle avait jeté l'homme aux lions. Ensemble ils avaient traversé une forêt – leur mauvais mariage. Ils étaient alors arrivés à un enclos, un lieu interdit, un abîme de haine, de colère, de perversions. L'homme avait tenté de l'y précipiter ; sans succès, elle s'était échappée. Lui y perdit la vie. Ce n'était que justice. En rêve elle ne parlait par défense que de sa perversion à lui, jamais de la sienne propre.

Elle se représentait sa brutalité, l'exemple le plus frappant en était la scène où, empoignant par les jambes l'enfant qui voulait lui souhaiter la bienvenue, il lui cognait le crâne contre le coin de la table. Et elle révélait aussi des secrets plus profonds. Elle-même avait été cette toute petite fille, avait vu en Link une ressemblance avec son père, l'avait cherchée en lui. Elle voulait l'appeler père, aller vers lui comme la petite fille du rêve. Mais il l'avait déçue de la pire manière qui fût. Elle l'accusait de tentative d'assassinat, il aurait tenté de tuer l'enfant en elle. Ainsi se tournait-elle vers ses parents, à la recherche d'une protection et de témoins : ils devaient se montrer bons. Elle fantasmait : lui la jetait hors du bateau, l'assommait. La déception de sa liaison avec Link : il lui avait promis des chaussures et lui offrait des sabots, bien assez bons pour elle. Les agressions sexuelles revenaient, déguisées, à travers l'image du serpent rampant du seau jusqu'à elle et la mordant au cou.

Quant à sa propre faute, elle essayait de la minimiser : elle aurait juste fumé une cigarette et fait par mégarde un trou dans le drapeau blanc à l'aigle noir. C'est-à-dire violé la loi.

Elle refusait de faire le point sur l'assassinat et sur Link. Se plaignait d'avoir à l'assassiner, d'avoir à s'occuper de lui, le mort, encore et encore. Rien que des morts dans sa salle, elle devait les laver, les habiller. Voulait les repousser, s'enfuir, mais était clouée sur place.

Mais en outre vivait en elle et se déchaînait dans ses rêves le sadisme, l'amour-haine compulsif qu'il avait éveillé chez elle. Tels étaient les liens qui l'attachaient au mort. En elle les choses se superposaient étrangement : la tendance à se purifier, à redevenir enfant, à retourner chez ses parents faisait surgir de tels fantasmes ; mais parallèlement son penchant sadique s'en gorgeait, s'en nourrissait. Elle frissonnait d'effroi mais ne pouvait se dégager. Incapable de retourner vers ses parents et de franchir les barbelés de sa conscience, mais sans vouloir pour autant vivre dans la haine. Tiraillée comme elle l'était, elle songeait à trouver le salut dans la mort ; elle rêva donc qu'une surveillante l'aidait, la coupait en deux avec un couteau. Une fois elle essaya de se pendre comme souvent son mari. Dans son rêve à propos du pavillon de la marine de guerre elle s'identifiait aussi à son mari qui pendant la guerre avait été marin, et elle se punissait en vivant le même destin.

Du reste, avec ces fantasmes elle se punissait. Elle en avait peur, c'était une peine qu'elle s'appliquait.

Dans son expression et dans ses gestes elle restait une femme candide, innocente, gaie. Intérieurement elle traversait une nouvelle crise, luttait durement et cherchait à revenir à ses parents.

Elle n'avait pas oublié la Bende. Les images étranges du jeu à quatre balles évoquaient la sexualité. Un jour, comme le raconte un rêve, se trouvait dans sa chambre "une personne toute glacée" dont elle s'occupa très ostensiblement, tentant de la réchauffer, de la ranimer. Il ne s'agissait – rêve discret mais très clair – ni d'un homme, ni d'une femme. Elle la plaignait ostensiblement, elle qui par ailleurs s'enfonçait profondément dans le crime. Ce n'était pas le cadavre de Link. Pour une fois. Certes elle tenait encore à Grete, mais il devenait manifeste que leur séparation n'était pas que spatiale, Elli désirait se libérer d'elle. Avait honte du penchant toujours vivant en elle. Le repoussait, tout comme elle repoussait le mort et l'assassinait. Montrant par là combien ce penchant était en étroite relation avec Link et son propre geste. Mais il s'y mêlait toujours un certain attrait. Elle voulait ranimer Grete, en apparence seulement, faisait comme si, recourant à un moyen impossible : des charbons ardents censés la réchauffer. Bien entendu ils brûlèrent la personne glacée. Elli voulait et ne voulait pas de la Bende. Quand les charbons mirent le feu au lit, Elli perdit ses esprits, elle avait l'air d'une folle. C'est ainsi qu'une fois déjà elle avait fui dans la mort un dilemme encore plus inextricable.

La vie intérieure d'Elli s'approfondit beaucoup pendant sa détention. Au prix de grandes difficultés accompagnées de symptômes proches de la psychose s'accomplit une transformation qui s'orientait vers un rapprochement avec la famille.

A l'autre, la Bende, il n'arriva pas grand-chose pendant sa détention. Elle était plus simple, intérieurement plus souple, plus riche en sentiments. Elle était toujours attachée à sa mère ; ce centre-là était indemne. Douce, jalouse, sensible, elle avait bien des reproches à faire à Elli. Mais elle l'aimait, même dans ses rêves, et chérissait cet amour. Elli restait son enfant qu'elle protégeait du méchant mari.

Toute la presse berlinoise ainsi que la presse nationale publièrent avec beaucoup de battage des comptes rendus détaillés des journées d'audience du 12 au 16 mars. Les titres les plus sensationnels alternaient : "Empoisonneuses par amour", "Les lettres d'amour des empoisonneuses", "Un cas étrange".

Elli Link, blonde et discrète, assise au banc des accusés, répondait, intimidée. Margarete Bende, une femme de haute stature, portait une ceinture en cuir autour de sa taille mince, elle avait des cheveux longs, soigneusement ondulés, des traits énergiques. Sa mère, dans tous ses états, pleurait beaucoup. Mme Elli Link devait répondre à deux chefs d'accusation indépendants : "Premièrement d'homicide volontaire avec préméditation sur la personne de son mari. Deuxièmement de complicité avec la Bende et d'incitation au meurtre dans la tentative d'assassinat sur la personne de l'époux Bende."

Mme Margarete Bende dut répondre à deux chefs d'accusation : "Premièrement de complicité avec la Link et incitation au meurtre dans l'accomplissement du crime de cette dernière, l'assassinat de son mari Link. Deuxièmement de tentative d'homicide volontaire sur la personne de l'époux Bende, par des actions préméditées témoignant que ce crime projeté mais non totalement réalisé a connu un début d'exécution."

La mère, Mme Schnürer, dut également répondre à deux chefs d'accusation : "D'avoir eu connaissance des projets d'assassinat, premièrement de Link, deuxièmement de Bende, à une époque où il eût été possible de prévenir ces crimes, et d'avoir omis d'en avertir en temps voulu soit les autorités, soit les personnes menacées, permettant ainsi l'assassinat de Link et une tentative d'assassinat sur Bende."

Crimes et délits tombant sous le coup de la loi selon les paragraphes 211, 43, 49, 139 et 74 du code pénal.

Vingt et un témoins furent cités, dont l'époux Bende, la mère du défunt Link, le père d'Elli, la logeuse des époux Link, le droguiste, la voyante. Comparurent comme témoins et experts les médecins ayant soigné le malade Link. Puis les médecins légistes qui avaient pratiqué l'autopsie, le chimiste qui avait analysé certaines parties du corps. Plus des experts psychiatriques.

A la première question du président du tribunal : Elli Link reconnaissait-elle avoir donné de l'arsenic à son mari, celle-ci répondit oui. Puis déclara avoir voulu se libérer de lui. Il rentrait souvent ivre à la maison, répercutait sur elle les mauvais traitements que sa mère lui infligeait, la menaçait avec un poignard et une matraque en caoutchouc. Il la battait, salissait leur logement, et dans leur vie conjugale manifestait des exigences répugnantes. "Vouliez-vous empoisonner votre mari ?" "Non. Je pensais constamment qu'il me battait, que son cœur n'était plus pour moi. Et c'est pourquoi une seule pensée me dominait jour et nuit : me libérer à tout prix. Le reste du monde n'existait plus pour moi." Lorsque le président émit des doutes : elle avait un jour mélangé au repas de son mari une pleine cuiller à thé d'arsenic, ce qui l'avait rendu si malade qu'on avait dû l'hospitaliser et qu'il en était mort, à quoi pensait-elle donc à ce moment-là ? Mme Link : "Aux sévices. Il m'avait tellement battue que je ne savais plus ce que je faisais." Le président faisant remarquer qu'elle n'avait rien dit de ces horreurs dans sa demande de divorce, et que rien n'en paraissait non plus dans sa correspondance avec Mme Bende, Mme Link répondit : "Je n'en ai rien dit parce que cela m'était trop pénible ; mais j'ai fait plusieurs déclarations à mon avocat." Son interrogatoire fut terminé après qu'à l'instigation de son défenseur, Me B., elle eut donné plus de détails sur les mauvais traitements auxquels la soumettait son mari.

Le président, s'adressant à Mme Bende : elle aurait tenté sur son mari la même chose que Mme Link ; elle s'était fait donner par la cartomancienne une poudre blanche heureusement inoffensive. Mme Bende, Margarete : "Je me suis rendue plusieurs fois chez Mme F. et me suis fait tirer les cartes parce que j'y crois. Au début j'aimais mon mari parce que je croyais être aimée en retour. Je l'ai épousé comme il était, avec un seul costume pour tout bagage. Notre mariage fut malheureux parce que mon mari frayait avec des criminels et se moquait, se gaussait de l'amour de la patrie et de la foi en Dieu dans lesquels j'avais été élevée. Il a fini par me menacer de me poignarder ou de m'assommer, et lorsque je lui ai dit : Ce n'est pas moi qui en souffrirai le plus, il a répondu : Ils peuvent toujours venir, je ferai le malade mental." Elle aussi déclare avoir eu honte de parler de ça dans ses lettres. Essaie de donner un tour anodin à certaines phrases insidieuses. Affirme avec force n'avoir jamais eu de mauvaises intentions vis-à-vis de son mari. Elle avait bien quelques soupçons concernant Mme Link, mais n'a jamais su qu'elle voulait empoisonner son mari. Toutes deux se revoyaient pour la première fois depuis longtemps au cours de cette audience, sur le banc des accusés derrière la barre. Elles ne savaient pas où elles en étaient, s'interrogeaient du regard. Elles se réjouissaient en silence : aucune des deux ne chargeait l'autre.

La troisième accusée, la mère de Mme Bende, pleura : "Je ne savais rien de tout cela. Si j'en avais eu connaissance, la vieille femme que je suis aurait fait ce qu'il fallait pour éviter ce malheur."

Les six cents lettres furent lues, avec des coupures. Parmi les témoins cités, le plus important, l'époux Bende, un homme solide, trapu. Il n'avait pas remarqué sur lui-même de traces d'empoisonnement. L'expert chimiste fit une communication intéressante : en mars on avait trouvé de l'arsenic dans les cheveux de M. Bende. Au bout de deux ans la présence d'arsenic dans le corps est encore décelable, surtout dans la peau et dans les cheveux ; mais impossible d'en déduire la quantité absorbée. Il fut objecté que M. Bende avait pris pendant une cure certains médicaments à base d'arsenic. Mme Bende et sa mère affirmèrent à qui mieux mieux l'avoir vu en possession d'une ordonnance, ce qu'il contesta. Acculé, il dut reconnaître certaines extravagances sexuelles. A la fin de la deuxième journée d'audience, après une lecture accablante de lettres qui les replongeaient dans cette époque effroyable, les accusées connurent une sorte d'effondrement. Elles se dirent adieu en pleurant. Mme Bende tomba dans les bras de sa mère en criant : "Chère mère, pense à ta fille unique. Dieu ne nous abandonnera pas."

Avant la fin de la lecture des lettres, le père d'Elli fut entendu. Il avait été pour beaucoup dans cette histoire sans s'en rendre compte, et il n'en était toujours pas conscient. C'était un homme droit et simple. Elli l'aimait, ne critiquait toujours pas ses décisions. Il témoigna qu'à maintes reprises sa fille s'était plainte de son mari et de ses mauvais traitements. Un témoin très important, un collègue du défunt, dit très nettement qu'en état d'ébriété, Link, le mari, était un homme brutal qui tendait à des excès sur le plan sexuel et s'en vantait. Ce qui l'avait poussé, lui, le témoin, à briser là leur amitié.

Lorsque, à l'instigation du procureur, l'époux Bende fut convié à s'exprimer une seconde fois sur des incidents concernant des mets prétendument empoisonnés, une scène violente se produisit. Mme Schnürer, qui s'était jusqu'ici assez bien comportée, se leva d'un bond et rouge comme un coq lança à la figure de son gendre : "Vous avez donné à ma fille plus de poison que vous ne pourrez jamais en recevoir. Cet homme-là a empoisonné mon enfant, et c'est pourquoi je suis reconnaissante à cette femme (Mme Link) d'avoir agi comme elle l'a fait. Sinon mon enfant serait déjà sous terre."

Des experts alors cités à la suite du chimiste et des deux médecins légistes, le premier à s'exprimer dans un rapport volumineux fut le Dr Juliusburger, un médecin du service de santé qui avait une solide formation de psychologue et de psychiatre, un homme fin et cultivé. Il s'agissait, dit-il, d'un cas particulièrement rare et difficile. On ignorait où commençait la nature et où la maladie. Mme Link manifestait une indifférence surprenante dans le va-et-vient des sentiments. Sa superficialité était immense. On ne percevait chez elle aucune réaction affective saine digne de ce nom. Tant dans son amour pour son amie que dans la haine contre son mari, Mme Link était exaltée. Aucune trace de perversion dans les lettres, car les femmes préfèrent être maltraitées plutôt que de faire à un médecin des confidences sur leur vie conjugale. Les lettres témoignaient d'un besoin d'écrire comme on le rencontre rarement. Les lettres, six cents en cinq mois, parfois plusieurs par jour, sont une preuve de leur amour passionnel maladivement exalté. Leur contenu : cruauté doublée d'une volupté prononcée. Rien d'étonnant si parfois les traits d'une compassion sincère s'y manifestent. Une sorte d'ivresse de nature indiscutablement pathologique traverse ces lettres. "Nous ressentons littéralement cette ivresse engendrée par la haine et l'amour et qui a ravagé l'accusée Link en particulier." Sa nature, de constitution infantile, est très influençable. Soumise à la Bende, dépendante, elle voulait lui donner une preuve authentique de son amour. Malgré le danger que ces lettres représentaient, elle ne les a pas détruites. Un peu comme un enfant qui souhaite qu'on le mette au coin. On peut aussi tenter d'y voir de la faiblesse d'esprit. Mais si l'on tient compte de l'ivresse, alors les lettres sont aux yeux d'Elli Link des bijoux, une sorte de fétiche. Où apparaît donc le passage à la morbidité ? Il n'y a pas trace d'inconscience. Ni d'hallucinations ou de visions. De l'avis de cet homme prudent, sensible, philanthrope, il s'agit là d'un cas limite. En ce qui concerne Mme Link, on peut dire qu'elle était sous l'emprise d'une survalorisation affective. On a affaire chez elle à un tempérament maladivement exalté. On ne peut donc pas dire que le paragraphe 51 (irresponsabilité pénale) ne s'applique pas, ni d'ailleurs qu'il s'applique. Des deux femmes, l'expert tient Mme Bende pour la plus forte et la plus active. Si l'on considère sa personnalité et la chaîne des lettres, il n'y a pas chez elle, d'après l'expert, cette exaltation intense et anormale de sentiments que nous trouvons chez la Link, mais un fort sentiment d'infériorité. Il croit avoir affaire ici également à un cas limite.

Le second expert est le Dr H., médecin du service de santé, un homme râblé, carré, avec une moustache broussailleuse tombante. C'est un homme sobre, précis, un scientifique mais aussi un lutteur. C'est lui qui, pour ce type de cas particulier – les relations entre personnes de même sexe –, possède la plus grande expérience pratique. Il arriva à la conclusion que ce lent empoisonnement était le résultat d'une haine profonde. L'accusée Link présentait dans son développement un retard physique et intellectuel, la Bende un esprit limité dû à une tare héréditaire. Il indiqua qu'une certaine tendance à l'exagération était inhérente à une telle manie d'écrire, si bien qu'il ne fallait pas prendre pour argent comptant tout ce qui se trouvait dans les lettres. La cause de cette haine profonde, il la voyait surtout dans la disposition homosexuelle de ces femmes qui, du coup, vivaient très difficilement les exigences de leurs maris et qui, dans leurs aspirations à se rejoindre, n'étaient guidées, comme l'avait dit la Link, que par une idée fixe : être libres. Cette haine fanatique limitait sans aucun doute leur responsabilité, cependant ni la haine ni le penchant homosexuel n'excluaient selon lui l'autonomie de la volonté au sens du paragraphe 51. L'expert reconnut toutefois en réponse à la défense que l'opinion du premier expert pouvait être valable. Mais estima personnellement que les conditions permettant d'appliquer le paragraphe 51 n'étaient pas réunies.

Le Dr Th., médecin légiste : l'accusée Link a agi d'une manière méthodique et réfléchie. Mais comme elle n'a pas atteint sa pleine maturité ni sur le plan physique ni sur le plan mental, son cas doit être jugé en conséquence.

Le quatrième expert, le Dr L., du service de santé, rejeta toute circonstance atténuante. Il constata que l'accusée Link n'avait jamais manqué d'autonomie dans sa conduite. Difficile de la considérer comme lourdement handicapée par son infériorité ; du reste tous les assassins étaient des êtres inférieurs auxquels il manquait précisément les inhibitions normales. La démesure, l'irréflexion étaient les caractéristiques des passions, l'un vivait de faibles passions, l'autre en vivait de violentes, sans qu'on puisse parler de maladie.

Le procureur demanda alors aux jurés de répondre oui à la question homicide volontaire avec préméditation pour la Link, et tentative de meurtre avec complicité de meurtre pour la Bende. Vu le temps nécessaire à l'homicide et compte tenu des lettres, on ne pouvait douter que la Link avait agi avec préméditation. La brutalité calculée et la cruauté émanant des lettres ne permettaient pas de retenir les circonstances atténuantes. Ces femmes auraient pu choisir la voie du divorce.

Vint le tour des juristes, de la défense. Le défenseur de la Link, l'avocat Me A. B. : cette femme qui en se mariant avait de grandes espérances, avait été ensuite torturée par son mari d'une manière particulièrement rebutante. La brutalité de l'homme l'avait finalement poussée vers la femme. La passion en elle s'était exaspérée jusqu'à la folie. C'est ainsi qu'elle avait décidé d'agir. Manquant, dans cet état, totalement de jugement et de clarté d'esprit. Elle agissait d'une manière apparemment cohérente comme le fou à l'intérieur de sa folie. La cruauté repoussante des lettres, la rage maniaque d'écrire, le fait de conserver ces lettres témoignaient de l'état d'ivresse et de sa puissance. Face au jugement du premier expert – dans l'impossibilité de trancher sur la question du paragraphe 51 – et à l'explication du second expert – qui tenait l'opinion du premier pour éventuellement valable – il convenait de juger selon ce principe juridique : au bénéfice du doute pour l'accusée.

Le défenseur de la Bende, Me G., objecta que les accusations contre la Bende se fondaient exclusivement sur le contenu des lettres qui ne constituaient pas une preuve valable. La personne concernée par la tentative d'assassinat ne pouvait même pas se souvenir du prétendu attentat à l'acide chlorhydrique. De même, on ne saurait retenir contre Mme Schnürer la suspicion de complicité qui, elle aussi, ne reposait que sur les lettres.

Vingt questions concernant la culpabilité des accusées furent soumises aux jurés qui avaient attentivement écouté : Mme Link était-elle coupable, d'une part de meurtre, plus précisément d'homicide volontaire sur la personne de son mari, et d'autre part d'avoir fourni du poison et assisté Mme Bende dans sa tentative d'assassinat sur la personne de Bende ? Mme Bende était-elle coupable, d'une part de la complicité d'assassinat sur la personne de Link et de tentative d'assassinat, plus précisément d'homicide volontaire sur la personne de son mari, d'autre part d'avoir fourni du poison ? Mme Schnürer était-elle coupable d'avoir omis de dénoncer un crime prémédité dont elle avait eu connaissance ?

Retirés dans leur salle verrouillée, les jurés, hommes graves et silencieux, se virent confrontés à ces questions étranges qu'on leur avait posées et certains d'entre eux se firent encore plus silencieux. Ce n'était pas une assemblée d'hommes passionnés, colériques, emportés ou vindicatifs, ce n'étaient pas des guerriers armés d'épées et vêtus de peaux de bêtes, ni des inquisiteurs du Moyen Age. On avait déployé devant eux tout l'appareil de la justice. L'instruction avait duré presque un an. On était remonté loin dans le passé des accusées pour faire la lumière sur leurs antécédents. Une petite troupe d'hommes formés en la matière avait observé la constitution physique et psychique des deux femmes et tenté de se faire une idée à partir de leur vaste expérience. Les déclarations du procureur, des défenseurs, avaient éclairé les événements. Malgré tout cela, il ne s'agissait pas de l'acte, de l'empoisonnement pur et simple, mais presque de ce qui était le contraire d'un acte : c'est-à-dire de la façon dont cet événement avait pu se produire, de ce qui l'avait rendu possible. On tendait même à montrer qu'il était inéluctable : les discours des experts allaient en ce sens.

On n'était plus sur le terrain du "coupable-non coupable", mais sur un autre terrain terriblement peu sûr, celui des relations de cause à effet, de la volonté de comprendre, de percer à jour.

Le défunt Link s'était accroché à Elli qui ne l'aimait pas vraiment. Devait-on pour autant le déclarer coupable ? En fait, il le faudrait ; c'était la cause, et de ce fait on pouvait lui imputer les événements futurs. Deux fois il avait retenu Elli tout à fait contre sa volonté, l'avait tourmentée, avait abusé d'elle.

Elli, quant à elle, s'était laissé entraîner par lui dans la voie du mariage. De constitution incomplètement développée, elle était frigide ou singulière. Ses organes sexuels ne s'étaient pas correctement formés. Elle repoussa son mari. Il en fut excité, elle irritée, la haine s'y mêla, on connaît la suite.

De même pour son amie. Difficile, impossible à ce niveau de parler de culpabilité pleine ou atténuée. Les jurés, retirés dans leur salle, se virent confrontés à la nécessité de déclarer coupables un utérus, des ovaires parce qu'ils s'étaient développés ainsi et non pas autrement. Il leur fallait aussi se prononcer sur le père qui avait ramené Elli à son mari, or ce père était la quintessence des vertus bourgeoises irréprochables. Le juger eût été les juger.

Mais une autre préoccupation était au premier plan : quelque chose s'était produit ; comment empêcher que cela ne se reproduise ? Il fallait intervenir. Le tribunal ne demandait pas si Link, le père de Link, la mère de Link avaient joué un rôle, s'ils étaient "coupables" ; il épinglait un fait, l'assassinat. Les torts de chacun devaient rester dans certaines limites ; sinon une intervention s'imposait. Les jurés furent pressés de détourner les yeux de ce qui s'était passé à l'intérieur du cercle, des limites ; ils devaient ignorer la gamme des événements. En vérité c'était de l'inconséquence que de la leur montrer d'abord, pour ensuite les pousser à l'ignorer. Les jurés eurent juste le droit de faire jouer un léger rappel fugitif de la gamme événementielle car, après qu'ils aient eu à se prononcer sur les faits délictueux, on leur demandait s'il y avait des circonstances atténuantes.

Après deux heures de délibération les jurés revinrent et prononcèrent leur sentence : la Link était coupable d'homicide volontaire sans préméditation avec circonstances atténuantes. La Bende : non coupable de tentative d'assassinat mais bien de complicité d'homicide, sans circonstances atténuantes. L'accusée Schnürer n'était pas reconnue coupable de complicité.

L'avocat général ayant regagné sa place, le code devant lui, requit la peine maximum prévue par la loi : cinq ans de prison pour la Link, et pour la Bende d'abord dix-huit mois de prison – par erreur, le rejet des circonstances atténuantes lui avait échappé – puis cinq années de travaux forcés. Le défenseur de la Bende se dressa, stupéfait, pour souligner ce paradoxe : condamner la meurtrière à la prison et son acolyte aux travaux forcés. Il était, dit-il, évident que les jurés ne lui auraient pas refusé les circonstances atténuantes s'ils avaient été au fait de la sanction encourue. Les jurés approuvèrent, eux-mêmes effrayés.

La Bende et sa mère poussèrent un cri à la requête du procureur. Leur défenseur pria la cour d'appliquer à la Bende le minimum prévu par la loi.

Elli Link fut condamnée à quatre ans de prison, son amie à dix-huit mois de travaux forcés. Pour toutes les deux, les mauvais traitements subis jouèrent en faveur d'une commutation de peine, la cruauté de leur acte comme un facteur d'aggravation. Cette dernière raison leur valut aussi la suppression des droits civiques pendant six ans pour la Link, pendant trois ans pour la Bende. La détention préventive leur fut comptée. La mère de la Bende fut remise en liberté.

Surpris par la peine infligée à la Bende et loin d'être rassérénés, les jurés se réunirent à la fin de l'audience pour demander la commutation des travaux forcés en une peine de prison.

Les deux femmes qui, ensemble, avaient assassiné Link, âgé de trente ans, s'en allèrent en prison et y passèrent des années. A compter les jours, les fêtes, à attendre le printemps et l'automne à attendre encore. Attendre : c'était la punition. L'ennui. Rien ne se passait. Rien ne s'accomplissait. C'était cela la vraie punition. On ne leur ôtait pas la vie, comme elles l'avaient fait à Link, mais juste une partie de la vie. La lourde, l'indéniable puissance de la société, de l'Etat se gravait en elles. Parallèlement, leur amertume, leur abattement, leur faiblesse augmentaient. Link n'était pas mort ; son exécuteur testamentaire était là. On le leur faisait payer : solitude, attente et, pour Elli, les rêves.

Toutefois l'Etat ne se protégeait que faiblement par cette peine. Il ne s'attaquait en rien à ce que l'audition des preuves avait évoqué, n'entreprenait rien contre le terrible sentiment d'indignité qui avait conduit Link à la mort : un sentiment qui continuait à proliférer. L'Etat n'enseignait pas aux parents, aux professeurs, aux curés à être attentifs, à ne pas lier ce que Dieu avait séparé. Il travaillait comme un jardinier qui à droite et à gauche arrache les mauvaises herbes, cependant que les semences s'envolent plus loin. Et lorsque, ayant fini devant, il se retourne : derrière tout repousse déjà.

Coupures de journaux. Le Dr M. dans un quotidien berlinois : "Un crime sadique commis contre le mari, perpétré par passion charnelle pour une femme, voilà à quoi l'on s'attendait. Mais il n'en est rien. Il y a eu meurtre, exécuté sciemment, et pourtant... à voir ces créatures discrètes, ces blondes têtes de linottes inoffensives, à suivre ces yeux gris-bleu si froids, à entendre ces lettres tendres mais tout à fait absurdes, l'on se prend à secouer la tête. Un être ingénu qui n'a besoin que de tendresse, et non d'amour, tombe sur un homme incapable de caresses et qui ne sait que tourmenter, torturer lorsqu'il aime. La malheureuse trouve une femme du même âge qui subit quelque chose d'identique, elle se réfugie dans un attachement passionné pour cette compagne, dont la force de caractère lui offre un soutien. De l'amitié et du refoulement de l'éros naît une affinité sexuelle. Qu'y a-t-il de surprenant à voir germer le projet de se libérer de leurs bourreaux de maris ?"

Dans les journaux, selon la couleur politique ou religieuse, se développa une controverse autour du jugement. L'organe d'un parti confessionnel déclara : "Les jurés de Moabit ont une fois de plus prononcé un jugement d'une étonnante clémence – les motifs constatés, égarements sexuels avec les difficultés conjugales qui en découlent, suffisaient amplement à expliquer l'acte. Mais la cour s'est laissé abuser par les criminelles qui ont tenté de se blanchir en évoquant les brutalités et les exigences monstrueuses de la victime. Et afin de couronner cette clémence, voici que les jurés ont déposé un pourvoi en grâce pour les deux meurtrières. Qu'en ces temps de décadence généralisée des mœurs le cas individuel d'un criminel puisse inspirer de la pitié est une chose, mais où la société va-t-elle si des crimes sont jugés avec autant de clémence ? Les jurés, les juges et même les défenseurs montreraient-ils un cœur aussi généreux s'ils étaient en personne victimes d'un cas semblable ? Sans oublier qu'une peine est également censée avoir valeur d'exemple, à moins que les représentants actuels de la justice ne soient devenus les ennemis déclarés de la théorie de l'exemplarité de la peine ?"

L'expert H., le médecin et spécialiste le plus compétent dans le domaine de l'amour homosexuel, publia même dans un journal, sous le titre "Un jugement dangereux", des réflexions que lui avaient inspirées cette sentence "sans doute unique par sa clémence dans les annales de la criminologie". Selon lui, l'inversion sexuelle des pulsions ne résultait pas d'une volonté criminelle, mais d'un malencontreux mélange de chromosomes. Disposition qui toutefois ne saurait en aucun cas autoriser les homosexuels à écarter brutalement les obstacles ou éliminer les personnes qui s'opposent à leur liaison. C'est pourtant ce qui s'était produit là. Le jugement des jurés permettait aux deux jeunes femmes de réaliser d'ici quelques années leur projet de convoler ensemble. Le Dr H. se refusait catégoriquement à voir dans la disposition homosexuelle en soi une raison permettant d'excuser un empoisonnement aussi criminel. Par une fatalité tragique, le père avait à deux reprises ramené à son mari l'accusée qui n'était faite ni pour le mariage, ni pour la maternité : la femme doit suivre son mari. Quant aux déficiences intellectuelles des deux femmes – arriération affective, infantilisme chez la Link, une faiblesse d'esprit frôlant la débilité chez la Bende – elles n'étaient pas prononcées au point d'exclure l'autonomie de la volonté. Et il restait à prouver si les récits des traitements brutaux infligés par leurs maris correspondaient ou non à la réalité des faits. Il semblait établi que Link, névropathe caractérisé, aimait sa femme jusqu'à l'humiliation de soi. La vacuité mentale, la froideur de sa femme semblaient l'avoir mis hors de lui, sa colère attisait la peur qu'éprouvait sa femme, le dépit de celle-ci sa rage à lui. Le Dr H. ne savait que trop, par expérience, combien des amies de cette sorte peuvent empoisonner la vie des hommes. L'une d'elles lui avait écrit un jour : "Malheur à l'homme qui nous achètera sur le marché du mariage ; nous le frustrerons du bonheur auquel il a droit, même sans le vouloir." Dans ce cas, le pas criminel – de l'empoisonnement au figuré à l'empoisonnement réel – avait été franchi.

Et l'expert se voyait obligé d'indiquer quelles conséquences dangereuses, voire quels effets préjudiciables à l'intérêt général pourraient découler de la clémence du jugement. Il soulignait la nécessité de l'éducation sexuelle et préconisait de réintroduire comme motif de divorce "l'aversion insupportable" envers le conjoint. "Un Etat qui voit dans le mariage un acte purement consensualiste se montre inconséquent s'il se met, en cas de séparation, à défendre le point de vue inverse."

Dans une brève étude consacrée à ce cas criminel, K. B., disciple de l'expert précédemment cité, souleva la question suivante : La haine qu'éprouvaient ces femmes est-elle née de la seule brutalité de leurs maris, auquel cas leur amour homosexuel ne serait que la conséquence d'une aversion acquise envers l'autre sexe ; ou bien leur sensibilité homosexuelle serait-elle innée et donc la véritable cause de la dysharmonie conjugale ? La Link, pouvait-on supposer, n'avait eu aucun commerce avec les hommes avant son mariage, elle s'amusait à les aguicher pour ensuite les laisser choir. Elle s'était fait photographier en soldat ; sa constitution physique et sa démarche révélaient certaines caractéristiques masculines typiques des femmes homosexuelles. La Bende était plus ambiguë. Et néanmoins son visage et sa façon d'être trahissaient de nombreuses caractéristiques masculines, ce qui semblait corroborer l'hypothèse d'une homosexualité innée jointe à une amitié homosexuelle.

Les deux femmes purgèrent leur peine. Le divorce des époux Bende fut prononcé à torts partagés : elle pour crime, lui pour adultère.

ÉPILOGUE

A revoir tous ces événements, l'impression d'être en pleine fiction me gagne : "Puis le vent se leva, et il arracha l'arbre." Je ne sais de quel vent il s'agissait ni d'où il venait. Le tout est un tapis, fait de nombreux lambeaux disparates, drap, soie, mais aussi morceaux de métal, mottes de glaise. Rapiécé avec de la paille, du fil de fer et du cordonnet. Par endroits des fragments isolés, simplement juxtaposés. Certaines chiquettes sont maintenues par de la colle ou reliées par du verre. Mais le tout est sans lacune et porte le sceau de la vérité. Et s'est projeté sur nos manières de penser, de sentir. Voilà comment les choses se sont passées ; les acteurs eux-mêmes le croient. En fait, elles se sont aussi passées autrement.

De la continuité, de la causalité psychiques, de la densité psychique et de ses condensations nous ignorons tout. Il faut prendre tels quels les faits bruts, les lettres, les actes, et renoncer systématiquement à les expliquer pour de bon. Approfondir les choses ici ou là ne servirait à rien.

Il y a d'abord ces mots terriblement peu clairs auxquels il faut recourir si l'on veut décrire semblable processus ou contextualité. Omniprésence d'un langage éculé, la plupart du temps d'une infantilité manifeste. Un vocabulaire stupide et simpliste pour décrire des processus intérieurs : penchant, aversion, répugnance, amour, sentiments de vengeance. Un micmac, un pêle-mêle, fait pour assurer un minimum de compréhension sur le plan pratique. Ici on a étiqueté des flacons sans vérifier leur contenu. Link conçoit de l'inclination pour Elli, cette gamine pleine de gaieté : qu'est-ce qui va changer en lui, comment le changement se produit-il, quel est son déroulement, où s'arrête-t-il ? Le terme, facile, d'inclination masque l'ensemble de ces faits plus qu'il ne les définit. Car le danger de ces mots est qu'ils vous donnent toujours l'impression de comprendre, alors même qu'ils bloquent l'accès à la réalité des faits. Aucun chimiste ne travaillerait avec des éléments aussi impurs. Articles de journaux et romans qui relatent de semblables destins ont, à force de nous rebattre les oreilles, beaucoup contribué à ce que l'on se contente de ces mots creux. La plupart des interprétations psychologiques ne sont que fables romanesques.

Comment penser la cohérence psychique ou même la causalité ?

On jongle avec le principe de causalité. D'abord on sait, ensuite on applique la psychologie. Le désordre s'avère meilleure science.

Qui peut s'imaginer connaître les vrais moteurs dans ce genre de cas ? Pour ma part, réfléchissant aux trois ou quatre personnes impliquées dans l'affaire, j'ai ressenti le besoin de fréquenter les rues qu'elles fréquentaient. Je me suis installé dans la taverne où les deux femmes avaient fait connaissance, j'ai visité l'appartement de l'une d'elles, parlé avec elle – même, avec des intéressés, je les ai observées. Je n'avais pas pour but de vulgaires études de milieu. Seulement une certitude : que la vie ou une tranche de vie d'un individu ne pouvait se comprendre en dehors de leur contexte. Les humains sont liés entre eux et même avec d'autres êtres par un rapport symbiotique. Ils se touchent, s'approchent, s'attachent l'un à l'autre. C'est bel et bien une réalité que cette symbiose avec les autres ainsi qu'avec les logements, les maisons, les rues, les places. C'est pour moi vérité assurée, quoique obscure. Si j'extrais un individu de son milieu, c'est comme si j'observais une feuille ou une phalange et que je veuille en décrire la nature et le développement. Ce qui est impossible ; la branche et l'arbre, la main et l'animal doivent aussi figurer dans la description.

Qu'est-ce qui agit, qu'est-ce qui se développe au-delà de l'individuel ? Les statistiques sont stupéfiantes. Chaque année la vague des suicides fluctue régulièrement. Il y a là quelques grandes règles. Dans ces règles s'expriment une force, une entité. L'individu ne sent pas la force, il ne sent pas la règle, mais il l'applique.

Quelle n'est pas l'étrangeté de cette simple donnée : l'homme est jeune, et il a certaines pulsions ; il vieillit, et il en a d'autres. Cela touche chacun d'entre nous. Et chacun ressent sa jeunesse et son amour comme une affaire privée et croit réaliser son moi. Qui pourrait comprendre les autres, si l'un n'était pas comme l'autre, c'est-à-dire si personne n'était comme lui ? Voici que se dégage déjà un moteur général et réel : l'âge de la vie, l'espèce humaine *sui generis*. Il détermine telle ou telle manifestation de la vie. C'est le moteur et rien d'autre.

Lorsque le morne Link regarde Elli et conçoit de l'inclination pour elle, quelle est en lui la part individuelle, spécifique qui réagit ? A quel moment les êtres humains entrent-ils en contact et avec qui ? Faisons globalement abstraction du cours du monde. Quelles parties de leur organisme général ou quels éléments isolés en eux aspirent-ils à l'autre ? Cette liaison : qu'atteint-elle ? Jusqu'où va-t-elle ? La chimie générale se représente très concrètement la manière et le degré d'interaction des corps. Il y a la loi d'action de masses, la théorie des affinités, des coefficients d'affinités spécifiques. Les réactions se produisent à des vitesses très différentes déterminées avec précision. Dans certaines conditions, les corps deviennent actifs ; des équilibres savamment étudiés s'établissent. Ici l'on étudie soigneusement les corps et leurs comportements les uns envers les autres ; toutes les influences sont examinées. Cette méthode est bonne. D'ailleurs ces constatations ne sont pas sans intérêt pour ce qui se déroule dans le domaine organique. Pour analyser nos problèmes, il faut aussi s'aventurer dans ce domaine, celui des corps non organisés et

98

des forces générales. Car nous aussi nous leur sommes soumis, et ce sont ces mêmes forces qui agissent dans la nature, dans les éprouvettes, dans les cornues et en nous autres.

Les véritables moteurs de nos actions, la zoologie peut les mettre à nu. La majeure partie de notre psychisme est régie par des instincts. L'analyse des instincts, leur mise à nu, fait apparaître des moteurs tout à fait déterminants de nos actions.

Au-delà se trouvent d'autres moteurs bien plus éloignés et indéterminables. On peut trancher dans certains de nos organes sans que nous le remarquions ; ils sont insensibles. De grandes tumeurs se développent à l'insu de l'homme. Un enfant qui est de mauvaise humeur parce qu'il n'a pas assez dormi expliquera néanmoins sa mauvaise humeur en disant qu'un autre enfant l'a battu. Ainsi des balles tirées sur nous depuis des contrées invisibles peuvent-elles nous changer, et nous ne remarquons que le seul changement, et non le véritable moteur, le déclencheur, la balle ; et tout en nous se met à obéir à la causalité. Réagissant à notre manière au coup qui nous a frappés, nous croyons être cohérents avec "nous-mêmes".

Tels sont les moteurs éloignés, encore indéterminables, de nos actions. Tout à fait comme le montre Elli : elle joue avec les hommes, et ignore pourquoi elle ne fait que jouer. Tantôt c'est un ovaire formé comme ci ou comme ça, tantôt quelque influence parapsychique ou faisceau d'influences parapsychiques encore obscures, tantôt encore un ensemble d'ordre cosmique qui nous motive. Et ce qui alors se manifeste et se développe ainsi, ce n'est pas l'homme, mais une masse cosmique plus vaste ou plus petite que lui.

J'ai voulu montrer les difficultés de ce cas, effacer l'impression que l'on pouvait tout ou presque tout comprendre dans une tranche de vie si dense. Nous comprenons, mais à un certain niveau.

BABEL

Extrait du catalogue

COÉDITION ACTES SUD – LEMÉAC

Ouvrage réalisé
par l'Atelier graphique Actes Sud.
Achevé d'imprimer
en février 2005
par l'imprimerie Liberdúplex
à Barcelone
pour le compte
d'ACTES SUD
Le Méjan
Place Nina-Berberova
13200 Arles.

N° d'éditeur : 5818
Dépôt légal
1re édition : avril 2005
N° impr.
(Imprimé en France)